JN084465

我思ＧＡＯＮ

～民が主なる国の帝王学と武士道～

はじめに

帝王学とは、もともと唐の二代 太宗皇帝の治政が見事であったことを、後の呉競という人が「貞観政要」という書物にまとめて書き残したものです。

それが、遣唐使によって日本に伝わり、最初に学んだ人が 源頼朝と言われています。

次に、最も研鑽した人が 徳川家康だと言われています。

もう一人、後世に学ばれた方が 明治天皇であることは、よく知られたことであります。

ここでは、帝王学の内容を書き記すのではなく、学問によって導き出された生き方から、何が見え、何が思考でき、実践できるのかについて述べてみたいと思います。

もともと昔、権力を持った人はごく限られた人たちで、帝王学は、そういった人が学ぶもので、一般国民が学ぶ必要はありませんでした。

しかし、日本は、明治以降、民主主義国家となり、国民がそれぞれに一票という選挙権を持つ国になりました。これは、権利ではなく、権力であることを自覚し、行使しなければならないのです。

これからの教育の中では、帝王学と武士道を、子どもたちに学ばせるものとなって欲しいのです。

帝王学は、権力を持った人が、自分をどう律するか、ということを教えているものですが、その本質の一つに「戦争をしない」「戦争を避ける」ことの重要性を説いています。「平和」を語る人たちが多いことは承知していますが、平和に到達できなくても、まず、戦争をしない・許さないことが権力を持った人の務めなのです。

第2次世界大戦が終結して70数年経っていますが、日本はかろうじて、この間、戦争を避けることが出来ました。世界はすでに、ほとんどの国が戦争を始めたり、巻き込まれたりしています。

江戸時代は、ここからまだ200年の長きに渡り、270年間戦争をしなかったのです。

帝王学は、戦争をしなければ、国は豊かになり、民は幸せに暮らすことが出来ると教えているのです。

因みに、世界で2番目に長く戦争をしなかったのは150年で、これも、日本の鎌倉時代なのです。

武士道もまた、戦いを避け、抑止力としての武士の存在を良しとして、明治までを過ごしてきました。今でも、日本人の生活の中に、精神性や哲学として息づいています。

目次

10 人と人間のありようのはなし

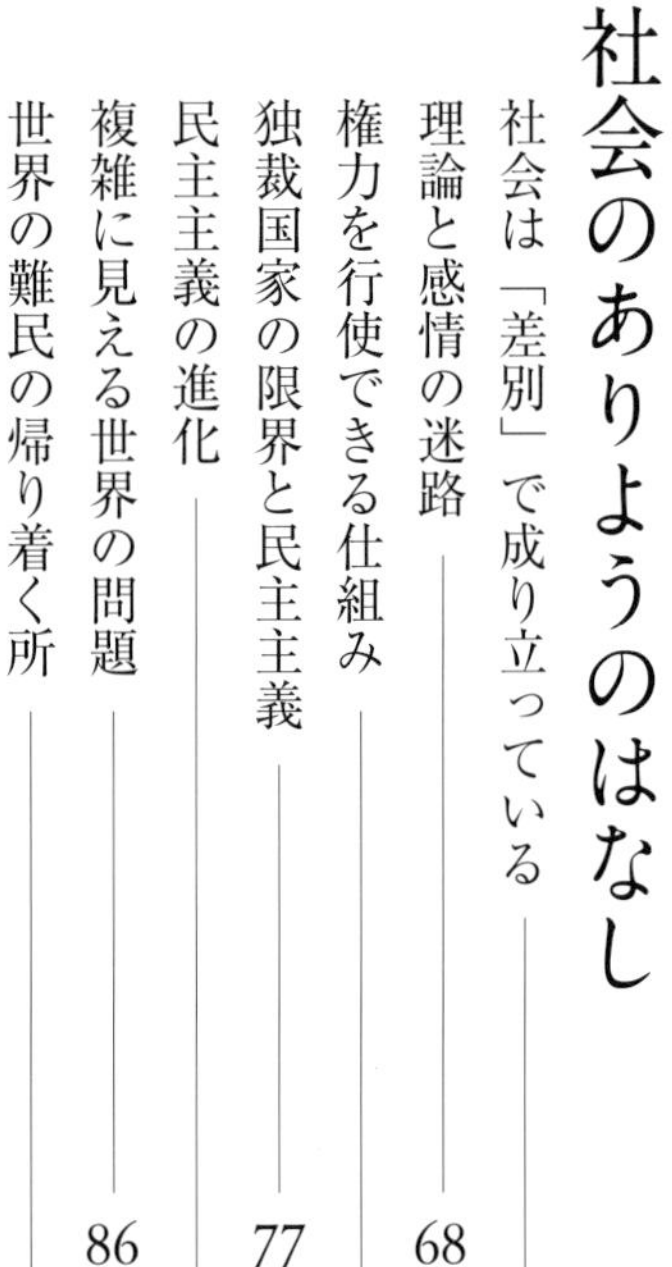

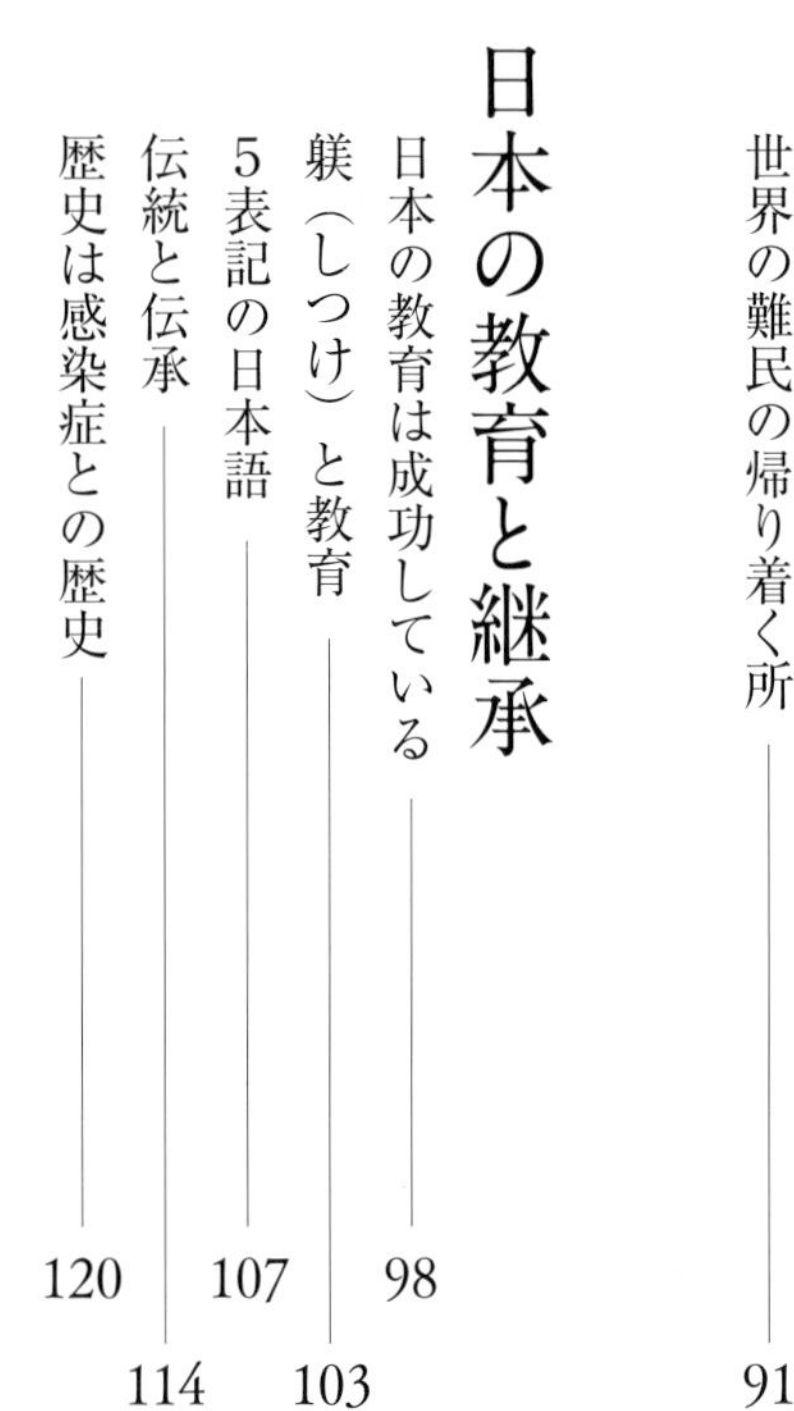

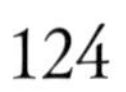

人と人間のありようのはなし

道の文化

剣術を極めて「かたち」が生まれた時、剣道になる。柔術を極めて「かたち」が生まれて、柔道になる。忍術は、恐らく「かたち」が生まれなかったのでしょう。道になることはできず消えていきました。日本の文化は、あらゆるものが「かたち」を極めるものであり、人々は「かたち」を極めることによって、それぞれの人生を発見し、生きてきました。

これは私が基本的に考えている、道の文化の成り立ちなのですが、宇宙には宇宙のかたちがあり、植物には植物の生きるかたちがあり、人にも人の生きるかたちがあるのでしょう。

私が20歳の時、北辰一刀流の宗家という方にお目にかかったことがあります。それは、祖父の使いでお尋ねしたのですが、いざ対面したときに自分が勝手に想像していた宗家の姿とは違い、威厳も何も感じない、優しいおじいさんでした。

20歳の自分が、ご挨拶以外に何も語ることもなく、何かの拍子に、「北辰一刀流って何ですか」という質問をしてしまいました。すると宗家は、居住まいをその場で整えられ、「北斗七星信仰にございます」とお答えになりました。

それ以外は覚えておらず、どうしてその場を離れたかも記憶にないのですが、ずっと長い間そのことが頭を離れることはありませんでした。

その後、数年がたって、27歳の時だと思います。煎茶道をヨーロッパで紹介する機会が訪れました。煎茶道とは何か、日本の文化とは何かについて答えなければならない状況になり、「道の文化」について考えるようになったのです。

その時、北斗七星信仰は、宇宙のかたちを信じることなのだと気付いたのです。北極星は北半球において動くことはなく、まわりの星が動くことによって、海をいく船は方向と時を間違うことなく確認するのでしょう。宇宙には宇宙のかたちがあるということです。

同じように、生け花にも生け花のかたちがあります。流派によって「天地人」とか「体留用」という言葉でかたちを伝えるのですが、それは、一芯二葉という、植物がこの世に現れた時の基本的なかたちなのです。即ち、植物にも植物の生きるかたちがあるのです。

子どもの頃、食事をした後にごろんと横

になっていると母親から「ご飯を食べてすぐ横になっていると牛になるよ」と言われたものです。牛は、草を食んで四つの胃で反芻し、ごろりと横になるのです。人は、牛にはなりませんが、そのかたちは牛の生きるかたちだと言っているのです。

考えてみれば、乳牛は人の都合で牛舎に繋がれ、乳を搾られ続けます。その乳は本来の牛の生きるかたちから出てくるものではないので、恐らく健康な乳とは言えないのではないでしょうか。

人にもまた人の生きるかたちがあります。煎茶道 黄檗売茶流（おうばくばいさりゅう）の手前は、人の合理的で美しいかたちをくみ上げたものと言えるでしょう。お稽古事は、繰り返しかたちを学ぶことによって、人の動きを極めていくのです。

人がかたちを極めることによって、それぞれの人としての『生き方』を見つけ、唯一無二の人生を歩むことになるのです。

「生きるかたち」は皆同じでも、「生き方」はすべて違うということです。

「おはようございます」「ありがとうございました」「いただきます」…人は同じ言葉を使わなければなりません。それは「生きるかたち」なのです。「生き方」ではありません。

宇宙のかたち、植物の生きるかたち、牛の生きるかたち、人の生きるかたち…これらを通して、物事の不思議さや面白さに気付き、考えたり興味を持つことによって、自分の唯一無二の生き方が見えてきます。

これを道の文化と言うのです。

何を美しいと思って生きるのか

12月になると、日本中でいろんなクリスマスソングが流れ、クリスマスムードが国中にただよってきます。こんなにもたくさんのクリスチャンがいたのかと思わせるほどです。

それが25日を過ぎ、暮れの31日になると、百八（ひゃくやっつ）の煩悩を払う除夜の鐘を打つ行事に、いろんなかたちで参加して仏教徒になります。年があけて元旦になると、我先にと神前に出向き、この一年が良き年になりますよう、二礼二拍手一礼をして、少ない賽銭を投げ入れます。それは神道の姿です。

日本中で、毎年これらの行事を繰り返すのですが、決して宗教を馬鹿にしているわけではありません。結構真面目に敬意をもって、その行事を行っているのです。敬虔な特定の宗教をもつ外国人から日本人を見ると、不可解で、理解に苦しむことでしょう。

人は皆、人生の中で幾度かの大切な決断をしなければならない時があります。宗教をもっている人は、その決断の時、心の裏側を支える規範を、宗教に求めます。

もちろん日本人の中にも宗教に規範を置く人はたくさんいると思いますが、多くの日本人はその規範を宗教に求めるのではなく、自分の人生の中で培ってきた「美意識」に求めるのです。この人たちのことを無神論者というのです。

何を美しいと思って生きるかは、ある意味、宗教を超えるもので、社会が何であれ、規範を自分自身の「中」において生き抜くことは、人として最も大切なことだと思います。なぜならば、宗教の中に規範をおいた場合、宗教における解釈が変わった時、自分自身もそれを変えなければなりません。

イスラム教の中で、「目には目を、歯には歯を」という教えがあります。これは、恐らく、目を傷めた人が自分の前に現れた時、その人の本当の苦しみは、自分自身が目を傷めた時に初めて本当に理解することができる、という教えだと思います。

目をやられたら目をやりかえせ、という教えでは決してないはずです。そんな解釈であれば、６千年を超えるイスラム教として今に残っていることはないでしょう。しかし、一部の過激な人たちは、解釈を変えて残虐な戦闘行為を疑うことなく正義と信じて生きています。

人生の心の裏側を支える規範を「外」に求めた時の危うさです。

人を殺さない理由は、法律で禁じられているから、或いは、宗教で禁じられているからではなく、自分自身が美しいと思わないという自分の中にある規範、であることが大切なのです。

どこにいるのですか
そこは遠いところですか
見えるところですか
何をしているのですか
…神さま！

神さまの正体

日本は、神代の時代から今に歴史が繋がる、世界で唯一の国だと言われています。

7世紀初め、中国が隋という国であった時代、隋の皇帝は日本に「王」を任命しようとし、仏教を国教とすることとあわせて、通告してきました。驚いた日本は、「聖徳太子」という存在を擁立し、我々の国には天の皇帝が君臨し、王の任命を貴国の皇帝

から受けることはありません、

『日の出ずる国の天子から、日の没する国の天子へ』

と、回答したのです。聖徳太子による隋への日本の独立宣言に違いありません。隋の煬帝は激怒したと伝えられています。

もう一つの通告である、仏教を国教とする問題については、そのままを受け入れてしまうと、日本の独自性を失うことになる為、ここまで信仰してきた「神道」と「仏教」を融合させることによって、日本独自の宗教を創造しようとしたのでしょう。

聖徳太子が、言ったとされる、「和をもって尊しとなす」という言葉は、人の和を言っているのではなく、神道と仏教の和を示していると考えられます。

もともと神道は自然崇拝であり、身の回りにある全てのものに神が宿るとされてきました。このことは、返して言えば、自分自身の中に神が存在していることを意味しており、したがって、全てのものに、神の存在を見つけることが出来るのです。

一方、仏教の逸話の中で、お釈迦様は、誕生して間もなく立ち上がり、三歩進んで、右の人差し指を天に示し、左の人差し指で地を示して『天上天下唯我独尊』と仰ったと言われています。

お釈迦様は、自分自身の存在が大宇宙の中で唯一無二であると言っているのではなく、全ての人の存在が、それぞれに、唯一無二であるということを説かれているのです。

神道の「八百万の神」もまた、唯一無二であり、仏教の哲学である、一人ずつの存在が唯一無二であることから、それぞれの人の中に神を見つけることが出来るとすれば、それは、日本の人の数だけ神が存在することになるのです。日本人は、神の人と言えるのです。

ただし、あなた自身が神さまではありません。あなたの中に、神さまがおられるのです。「自分との対話」とは、自分の中にいる神さまとの対話であり、神さまは皆違う、それがあなたの個性となって美意識となるのです。

時々、自分の中に神さまが降りてきたという人に出会いますが、そうだとすれば、「神さまも随分モノ好きで、人を見る目がないなぁ」と思うことが多いのです。

世界の宗教もまた、祭壇を設けた時、全ての装飾は、礼拝する人に向かっています。即ち、祭壇の中に神を見つけるのではなく、礼拝する人の中に神を見つけるということなのでしょう。

しかし、日本と違うのは、一神教であり、人々の中に見つける神は、同じ神なのです。

そして、別の宗教の神は、邪教の神として排他的であるのです。

神道の祭壇は、鏡がご神体であることが多く、礼拝する人自身の中に、神さまを見つけようとしています。

人は、誰一人として自分自身の顔を見ることができません。見たと思っても、それは鏡に映った自分であり、写真であり、すべて虚像なのです。実像は、決して見えないのです。ご神体の鏡は、自分自身を見るのではなく、自分の中にある神さまを見ようとするのです。

しかし、神さまを見た人は、誰もいません。これからも、神さまを見る人はいないでしょう。でも、神さまは、必ず存在し、我々の未来を見守ってくださるのです。

人の一生は、障がいの一生

哺乳類は、お母さんからこの世に誕生させられて、すぐ自分の足で立ち上がり、お母さんのお乳の所まで自分の力で行かなければなりません。これが、健康で生まれた赤ちゃんのあるべき姿です。

しかし人の赤ちゃんにとって、それは不可能なことです。人という種は二足歩行をしたために、恐らく女性の骨盤が小さくなり、未熟児で子どもを産むことになってしまったと考えられます。

人生は、「養育」から始まるのではなく「介護」から始まると言っても過言ではないのです。

介護によって多くの赤ちゃんは「成長」という変化をします。しかし、今我々が生きている社会は、成長という変化が見えにくかったり、或いは成長の速度が遅い人を差して「障がい児（者）」と言っていますが、実は、全ての人は皆「障がい児（者）」なのです。なぜならば、人は未熟児で誕生し、順調に成長という変化をする人も、必ずピークを迎え、あとは障がいに向かって歩んでいくのです。いろいろな種類の障がいが重なり、耐えることのできない最後の障がいがきて人生を終えるのです。

その他の哺乳類も、同じように障がいを重ねて一生を終えると言う人がいますが、人と決定的に違うのは、人は自分の死の始末が誰もできないのです。自然界に住む動物は全て、死の始末を自分でしているようです。

象のような大きな哺乳類はどこで一生を終えているのか近代までよくわからなかったようですが、一生を終えることを自覚した象は、群れを離れ、たった一頭で森の中の死ぬべき場所に行き、後ろ足から土の中に身を沈め、最後に長い鼻を地中に引き込んで生涯を終えているそうです。

近代になって、たくさんの象の墓が見つかり、たくさんの象牙が発見されたと言われています。恐らく他の哺乳類も、他の生き物の食料になるか、何らかの方法で誰にも知られることなく死の始末をしているのでしょう。

ペットとして飼われた犬は、人と同じように、自分で死の始末はできないようですが、ペットとして飼われていても外に自由に行き来ができる猫は、よく、最後は家人から離れ、どこかへ消えていくと聞いています。

人以外の哺乳類は死の始末ができますが、人はそれができない以上、可能な限り重い障害を持った人を基準とした制度やインフラを作ることが、人の社会において肝要なのです。

全ての人が使いやすい環境の中で生活をし、人それぞれが、ただ普通に好きという事ではなく、「大好きな事」を見つけることが、幸せな人生と言えるのです。

大好きな事を見つけ、それを自分で実現しようとするとき、人は、勤勉・努力・忍耐・集中・持続といった特性を、苦も無く身に付けることになるのです。

それは、「社会が望む大人の姿」とも合致することでしょう。

二元論と多元論

私たちは今、法治国家で生きています。間違いなく、法の下で社会は守られています。法は、「善・悪」、「白・黒」といったように二元論で作られています。しかし、人々の生活は日常、善悪・白黒を考えて生活しているわけではありません。非常に多元的に生きています。

例えば、結果として「黒」だということになった時も、それは、限りなく黒に近い「灰色」なのです。同じように「白」だとしても、それは限りなく白に近い灰色の中に生きているのです。確かに「真っ白」、「真っ黒」というものは存在します。でもほとんどの事柄は、灰色のグラデーションの中で生きていると言っていいと思うのです。

裁判で判決が下る時に「情状酌量」という裁判官の裁量が法に加味されることがあります。それは、多元的であることを二元論の中に加味しようとする心遣いなのでしょう。しかし私は、裁判官が情状酌量することは、いかがなものかと思います。なぜならば、我々の国家は、「法」によって裁かれるのであって、裁判官の私情が入ったものは、「人」によって裁かれてしまうことになるからです。

裁判官の私情を入れることは、人治になる恐れがあります。同じように、陪審員による判断も、法治ではなく人治になる恐れがあることを、常に意識する必要があるでしょう。

一方で、法律を守ることによって著しく命を脅かされることになる時、その法律を個人が守らなくていいという法律が今の日本にはありません。

これは、確か、ユダヤの言葉だったと記憶していますが、「アジュール法」または「アジール法」と言われる法律で、日本語では「聖権」と表現されます。

江戸時代には、日本にも「アジール法」は存在していました。

当時、婚姻権は夫にしかなかった為、妻が夫からの迫害にあった時、妻は容易に逃げることができませんでした。しかし、命の危険を感じた時、いわゆる「駆け込み寺」に逃れることで、夫から守られる仕組みが存在していたのです。

それは、管轄が、町奉行から、上位にあたる寺社奉行へと変わることを意味し、吟味の結果、妻から夫への離縁を可能にしました。

法律は、どこまでも二元論でしかありません。しかし、アジール法は、二元論を守らなくていいという法律です。アジール法を取り入れることによって、日本は、国民にとってより温かく納得のいく法治国家となるでしょう。「情状酌量」だけで、法に多元論を取り入れるのではなく、アジール法を作ることによって、多元論を加味していけばいいのです。

人は、法を守るために生きているのではありません。人が懸命に生きていくことを守るのが、法なのです。

世界と違う日本人

日本にはスクランブル交差点という、同時に12方向に人が行き交う横断歩道があります。世界の人は、この交差点の存在を、驚きをもって見ているようです。

外国の人たちの多くは、目の前の人とぶつからないように動くことは出来ますが、その後ろの人の動きを想像することは難しいようです。

日本人は、中世においても「江戸しぐさ」を代表とする、他者の動きをあらかじめ読んで対応するマナーが存在していました。

例えば、雨降りに細い道で、傘をさして互いに人が出会った時、「あ・うんの呼吸」でいずれかが傘を高く掲げ、もう一方が傘を斜めにもって、何事もなくすれ違っていくのです。

これは、日本人が総じて、空間を俯瞰する能力に長けているということでしょう。

浮世絵を見ても、例えば鳥の目で見ているであろう、魚の目で見ているであろう、虫の目で見ているであろう視点から図を構成し、得も言われぬ絵を描きあげ、庶民はそれを楽しんでいました。後に、浮世絵はヨーロッパの印象派の誕生にも大きな影響を与えていったのです。

源氏物語絵巻を見ても、御殿の中で営まれている生活を、屋根を外して鳥の目の位置で描かれています。我々日本人は、そういった絵を見ても、何ら不思議だと思うことなく楽しむことが出来るのです。

こういったことから、日本人の脳は、立体（三次元）を自由自在に、いろんな位置から眺めたり、想像して認識する能力に長けていると考えられます。

多くの世界の人々は、立体を平面で捉え、人の目で描くことが多いのです。想像力で、人間の行くことのできない位置から物事を描くことは、少なかったように思います。

ヨーロッパではピカソが、はじめて立体を平面で捉え、表現した芸術家なのでしょう。

また、日本人は、移動中の乗り物の中で眠ることができます。日本は治安がいいから眠れるのだろうと思っている人が多いようですが、外国の人たちは例え治安が良くても、なぜか移動中の乗り物で眠ることはないのです。

外国人である私の知人は、電車の中で居眠りをしている隣の人を見て「本当に眠っている」と言って驚いていました。隣に座ったその人は、ある駅に電車が到着しドアが開くと、何事もなかったように起きて、降りていったそうです。他の眠った人たちも、同じように、次々と降りていきます。

彼は、「日本人は、電車の中でみんな眠って、目が覚めると適当な駅で降りているのか」と、私に聞きました。

もちろんそんなはずはありません。ちゃんと、降りるべき駅で目を覚ますのです。日本人は、電車の中で眠る時、「聴覚」や「触覚」等、脳の機能の一部のみを起こしておいて、残りを全部休ませているのでしょう。

鳥観ができることも、電車で目的地で目を覚ますのも、日本人の脳の特異性を表しています。

こういったことができる日本人が多くいるということは、特別な教育によって脳が形成されたのではなく、恐らく、「日本語」によって成された術ではないかと想像しています。

大人たちへのメッセージ

今回、思っていることを文章にして残してみようと考えて、資料を探していると、40年前に私が園長をしていた養護施設「湘南学園」の、80周年記念誌を発刊した時に寄稿した文章が出てきました。

当時、養護施設に生活する子どもたちの問題が、社会的には、なかなか理解されず、行き詰っていました。

養護施設とは、かつて「孤児院」と言われ、戦争やその他の災害で、親と死別した子どもたちが生活していた施設です。

お気づきかと思いますが、親が死ぬことによって孤児院に来た時、子どもは親の裏切りには、あっていません。むしろ、親が生きていてくれたらという気持ちが強く、決して良いとは言えない自分の境遇の中で頑張ることができたのです。従って、かつては孤児院を出た子どもたちが、社会で成功することも多くありました。

孤児院が養護施設と名称を変えたのは、施設に来るほとんどの子どもたちが、片親もしくは両親がいて、結果として親から捨てられてしまった子どもたちの暮らす施設となっていたからです。今もその状況は変わりません。

子どもにとって、自分の親が自分を捨てるとは、思ってもいないことで、親の方も、まさか自分が子どもを捨てるなどということを思ってもいないのです。

ところが、こんな想像もできないようなことが起きてしまった子どもたちが全国に今も2万5千人以上も実在し、600を超える施設にわかれて生活しています。

子どもが生活する施設の中で、当たり前のことですが、養護施設には保護者会というものが存在しません。その他の障がい児施設には必ず保護者会があって、それぞれの子どもたちの後ろには親の2票という選挙権があり、施設の整備運営に多くの政治家が働いてくれることに繋がります。

老人施設に至っては、利用者自身が選挙権を持っていることも大きな力となるのです。

社会福祉施設の整備・拡充が計画されるとき、どうしても養護施設の問題は後回しになっていました。これも、保護者会がないことと無関係ではないでしょう。

もうひとつ、養護施設で暮らす子どもたちは、心に深い傷をもって暮らしていると言えるのですが、外見からその傷を想像することは難しく、子どもたちもまた、日常を元気に振舞います。施設の中で一人で暮らすということは、他人に弱みを見せることが、自分の生活を生きにくくさせることを子ども自身、よくわかっているからです。外から見学に来た人たちは、そんな子どもたちの様子をみて「心配してきたけれど、意外と元気でニコニコしていて、安心した」と言って帰っていきます。

当時掲載した文章の一部をここに転載しておきたいと思います。

◆湘南学園創立80周年記念誌「くもり　のち　晴れ」
（1984年12月1日発行）

【湘南学園憲法　強いものが弱いものを侵してはならない】

明治37年（1904年）から始まる湘南学園の歴史は、先人の偉大さを知るに十分な歳月でありますが、一方、親とともに生きることのできなかった千人を超える子どもたちの、少なからず寂しい思いの積み重ねでもあります。

この学園で生活する子どもたちの外姿から、その計り知ることのできない無念のキズを見つけることはできません。

自らの責任でもなく家庭が崩れ落ち、意思も選択も許されることなく、この学園で生活しなければならない不安と、その現実は想像にあまりあるものです。

子どもたちは今、大人を信頼することができません。信頼して嬉しかったり、よかったことや、規則を守って自らが守られた経験があまりにも少ないのです。したがって、人との関係の持ち方も極端にヘタな子どもが多いのです。

飼っているはずの犬や猫に対しても、うまく自分の気持ちを伝えられないのです。中には、自分の意志とは関係なく腹を立てさせてしまう子どももいます。

自信のなさからか、会話を単語だけのやり取りにしてしまいます。大人の話しかけも自分の世界へ持って帰れず、「わからん」「知らん」を連発します。

未来に目標や夢を持てないためでしょう。知的な能力に関係なく、学業不振が目立ちます。栄養価、食欲も十分あるにも関わらず、身体的発達も悪く小学生を思わせる中学生が少なくありません。愛情の不足を食欲で補うことを痛感させる子どももおり、精神面での安定を重要視せずにはおれません。

当然のことながら「思い」と「行動」の落差も大きく、子どもたちの理解をより困難なものにしています。しかし、ここで言えることは、大人でも死んでしまいたくなるほどの大きな荷物を、それぞれの子どもが背負って、懸命に生きているということです。

大人の無限ともいえる子どもたちへの結果としての裏切りは、心の扉を固く、しかも幾重にも閉じさせてしまいました。今、我々大人の採るべき態度は、子どもたちそれぞれへの尊敬の念を新たにすることであり、やがて心の扉が開くことを信じて待つ固い決意であります。

以前に、被害者（児）であったことを忘れて、今、非行をする加害者（児）であることを、どうして責めることができるでしょう。

湘南学園の憲法（目標）はただひとつ「強いものが弱いものを侵さない」ということです。

これは、いろんな決まりがたくさんある中で、他人同士が生活する時、最優先されるものは何かを考えた結果、辿り着いたものです。

現代社会は、老人や障がい者が隔離され、一見健常なように見えますが、ある意味、人種隔離政策なのです。私は「いろんな人がいる社会こそ、本来あるべき社会の姿だ」と考えます。

学園にいる大人たちは、決してこの子たちの母親・父親になれないし、兄妹になることも許されないことです。他人同士の生活では、家族とは成れないという冷厳な事実を認めあって生きていくことが必要だと考えています。子どもにとって、他人からいきなり親だと言われたらかえって混乱するでしょう。

今年の夏から着工した湘南学園の「子どもの森将来構想」は、その具体化としてお年寄りや障がい者もいっしょに生活し、やがては戦火や飢饉に喘ぐ東南アジアの子どもたちも受け入れることを目指しています。人間が同じ生命を持つ者同士として、助け合うことで、勇気とやさしさが培われると信じるからです。

この80周年記念誌は、こうした私たちの実践の中間報告です。湘南学園とともに歩く大人たちが力を合わせて作りました。ぜひご一読ください。

忘れる力

大きな自然災害や、大事件や大事故が起きるたびに、「このことを忘れないでほしい。後世にこのことを伝えたい」という当事者の言葉が報道されています。

確かに、我々も社会も大きなショックを受け、忘れないようにしよう、この事を皆に伝えようとその都度思うのですが、一人の人生の中で、経験した事件や事故、はたまた体験するであろう自然災害を記憶し続けることに、どんな意味があるのでしょう。

これらの出来事は、必ず行政や大学の研究機関等に記録として残されています。記録をするということは、人は忘れるからであって、忘れてもよいということなのです。

大津波の後に、悲惨さをそのまま後世に伝えるのではなく、そこから何を学び、どうすれば、その津波から人の命を守れるかの具体的な避難の仕方であったり、高い建物のシェルターを用意すること等、普遍的な対応を見つけ伝えることが肝要なのでしょう。

人には、忘れる能力があります。忘れることを恐れることはないのです。忘れることができるからこそ、今に残ってきたものも あるのではないかと考えることがあります。

地球人の先祖はホモサピエンスですが、我々と全く関係することなく消えてしまった、ネアンデルタール人の存在があります。骨格も立派で、当然頭蓋骨も大きく、脳のありようも、ホモサピエンスより良かったはずなのに、絶滅したのです。

人工頭脳（ＡＩ）の60年以上に及ぶ研究が、ロボット研究（ＩoＴ）に比べて思ったほど進化していないのは、人工頭脳には、忘れる機能が付加されていないからではないかと思います。

頭が良いと思しき人に自殺者が多いのも、記憶力は優れていても、忘れる機能が弱く、脳内で記憶のぶつかりと矛盾が起きてしまい、統合できず、自己の存在を否定し、最悪の事態に繋がっていくのではないでしょうか。

先に述べたネアンデルタール人の絶滅もまた、忘れる機能が弱かったことが、絶滅の原因の一つであるような気がしているのです。

因みに、年老いて尚、死を受け入れられない多くの老人は、痴呆になっていきます。というより、痴呆にしてもらえるのです。これは、人の「死の恐怖」からの解放であり、神さまからの最期のプレゼントなのでしょう。

老人と孫、そして親子

「むかしむかしあるところに・・・」と誰かが言うと、多くの日本人が頭に浮かべるのは、「おじいさんとおばあさんがいました」という言葉だと思います。

日本の昔話は、恐らく青森から鹿児島まで、みごとに、お父さん・お母さんが出てこないのです。親の存在を昔話の中から探そうとしても、母親らしき存在は、竹であったり、桃であったりで、お父さんに至っては影も形もありません。

これは、恐らく、長きに渡る農耕文化の中で、狭い耕地が住まいから遠くにあったことも理由かもしれませんが、食べていくだけの貧しい時代、両親は一家の重要な働き手であり、夜明け前から、深く日が沈むまで、遠くの田畑で農耕作業をしていたのでしょう。子どもは、家に残るおじいさんおばあさんに、家の周りの畑を耕しながら

育てられていたのです。そこで、おじいさんおばあさんは、子どもたちにいろいろな文化を結果として伝えていくことになります。
　日本では、親の世代を一代飛ばしながら、伝承が繰り返されてきました。その親もまた、子どもの子ども、即ち孫に文化を継いでいきます。それはまるで、遺伝子に従うがごとく、文化は二重らせん構造で伝え続けられてきました。
　二重らせん構造であることは、強固で、安定した、より深いものに、日本の文化を成熟させていくことになったのでしょう。
　世界の物語をみると、昔話の中に親が

出てきます。日本は、昔話に全く親が出現しない珍しい国なのです。

日本では何千年にもわたり、老人と孫は実に和やかで良好な関係を築いてきました。戦国時代にあって、子が親を殺して天下を取ることがあっても、孫が祖父母を殺して天下を獲るということはなかったのです。

第二次世界大戦後、日本は農業国から工業国に国の形態を変えてきました。大家族から、親と子が都市に移り住み、子育てに老人が参加することが少なくなり、親が働きながら、かつ、直接子どもを育てる形に移行してきたのです。従って、子育ての時間が取れない、また、取りにくい家庭を助けるために保育園の存在が必要となり、このことから社会の変容をみると、大家族制度から、核家族への移行とも重なって社会を見ることができます。

大家族で住んだ昔や、町内会が結束して助け合った時代を懐かしむ人たちがいます。その人たちは、核家族化が進むことが、まるで悪いことのように言いますが、このことは、経済が豊かになった証であり、それぞれの家が自立し、個人が家から、また自立しているということなのです。

町内会が、まとまり、大家族に戻っていくのは、そんなに難しいことではありません。

日本がうんと貧しくなればそれは実現できるのです。昔に還れるのです。

核家族になると、親が子育てに悩みます。祖父母と孫の関係とは違い、親と子の関係は、近すぎるが故の難しさと葛藤で、なかなかうまくいきません。

親が子を育てるようになって、まだ70年、100年に満たないのです。この時間を思うとき、子育てが上手くいかなくても、あたりまえです。

親と子が、祖父母と孫のような普遍的な心的距離と関係に辿り着くには、もっと長い時間と歴史が必要だと思います。

「親」という字は、「木の上に立って見る」と書きます。どんな大きな木でも、てっぺんは天に向かって伸びており、少しの風でも揺れる場所で、そこに立っているのは、ハラハラしながら子を見ている姿なのです。それは、忍耐をもって、ぎりぎりまで子どもの力を「信じて待つ」ことの大切さを意味しています。

因みに「親切」とは、「親を切る」と書きます。子の自立こそが、子育ての到達点なのかもしれません。

そしてまた、親が子を生んだことは事実ですが、同時に最初の子が二人の親を生んだことも事実なのです。

男として生まれた人は男となり、女として生まれた人は女となり、男と女が結婚をすることによって夫となり妻となり、夫婦となることができました。しかし、二人の力だけで親にはなれないのです。子どもが誕生することによって、はじめて親が誕生したと言えます。

新米の親は子どもを育てていくのに「随分と苦労した、手がかかった、やっとここまできた」と言うのですが、生まれたての子どもが新米の親を育てるのも大変な苦労があるのです。お腹がすいたと言って泣いているのにおしめを替えに来たり、身体がかゆいと言っているのにお乳を飲ませに来たり、なかなか泣き声だけで親を育てていくのは大変なことなのです。

第一子が親の初等教育を終えたころ、第二子の先生が生まれてきます。初等教育を第一子がやってくれたため、第二子は中等教育からはじめます。これを親から見ると、第一子は手がかかったが、第二子は比較的手がかからずにすんだということになるのです。

いずれにしても親子の関係はギブ&テイクの関係です。育てたと思っていたら育てられています。教えたと思ったら教えられるのです。

そんな中にあって、親が子に対し、一方的にしてあげられることは2つあります。一つは、場の提供であり、もう一つは機会の提供です。ただし、その場と機会を選択するかしないかは、子どもの側に権利があります。もし、提供したものが子どもに選択されない時は、次の場と機会をまた準備することが肝要です。

まさにこのことが、子どもが親から自立し、社会人となっていく大切な過程といえます。お互いに失敗したり、成功を喜んだりしながら、何百年とこの関係を繰り返し、老人と孫が穏やかな関係であるように、親と子の関係もまた良いものになっていくのでしょう。

今、上手くいかないことを悔やむ必要はありません。どんなかたちであれ、必ず、親子にとって良い未来はあるのです。

太平の時代における武士

武士にとって戦う相手は、誰であれ自分と同格もしくは格上、できれば自分より強い人が相手でなければなりません。明らかに弱い者を相手にすることは恥ずかしいことであるという基本的な考え方があって、戦場で口上をのべます。

「やあやあ我こそは…」と、自分はどこの生まれで、名前が何で、今どれだけの力があるのかを明らかにして、勝負をする相手を求めます。相手方からは、たぶん、自分が同格だなと思しき人が名乗り出てきて、一騎討となり、敵味方とも助太刀無用で、ただその勝負の成り行きを見守ります。真剣勝負であり、どちらかの命が絶たれるまで戦います。結果、どちらかが勝ち、どちらかが敗れて死んでいくのですが、勝者は「勝って詫び」ます。なぜなら勝ったという結果は、どんなに言い訳をしても、弱い者いじ

めに他ならないからです。
敗者は死んでいくのですが、「負けて感謝」でなければなりません。なぜなら、互角・もしくはそれ以上と認めて勝負してくれたにも拘わらず、その期待に応えられず、敗れて去っていくからです。これが、武士の勝負なのです。
戦乱の時代が終わり、家康によって徳川幕府が開かれます。それは、幕府の元に300の国（藩）が集まって成り立つ合衆国でした。
それぞれの藩は、藩札を発行することも許され、武士という戦闘要員によって守られる存在です。武士は、毎日武器の手入れをし、道場に通って武芸を磨きます。いつ戦いになっても即応できるように、常に控えているのです。

そんな、それぞれに構えている300の国が、270年もの長きに渡って一度も戦うことなく太平の世を維持したことは、世界の歴史に例を見ることはありません。家康が残したであろう哲学と制度は、戦うことがなければ国は疲弊することなく、民は幸せに暮らせるという思いが強くあったことを推察できます。

そもそも武士の「武」は、「矛を止める」という文字で、矛とは即ち槍を意味しており、槍を止める存在が「武士」なのです。決して、槍を用いて何かをするという意味ではありません。このことからも武士の存在は、攻撃ではなく守備であって、即ち「抑止力」としての存在こそが重要なのです。

武士は、背に腹を変えられない時には躊躇なく戦うのですが、極力それを避け、「抑止力」として存在したのです。戦争をしないことが、より多くの人の豊かさと幸せに繋がることを、家康は知っており、それを後世に実践させました。

結果、江戸時代はどんどん豊かになっていき、元禄の頃にはそのピークを迎えます。商人が台頭し、そのビジネスの有りようは、近江商人に代表される、商人と客が売り買いをすることによって社会も良くなっていく「三方よし」の経済でした。今でいうソーシャルビジネスは、この時代すでに実現されていたのです。

また日本は、世界で唯一、金も銀も採れた国でした。金の取れる国では銀は取れず、銀の採れる国では金は採れなかったようです。中世のヨーロッパは、銀本位制を取り入れており、当時流通していた銀の70％は、日本の石見銀山から採れた銀であったそうです。

近代、世界遺産に登録されたことにより、その存在は日本人にも認識されるようになりました。石見銀山の発掘方法は、露天掘りではなく、自然を外に残したまま、丁寧に採掘するやり方で、多くの日本人は、これほど大規模なものとは思っていませんでした。

もちろん日本は一度も歴史上植民地になったことはないので、銀の取引によって日本が利益を上げたであろうことは疑いの余地もありません。

江戸の町では、朝一番に魚河岸から「一心太助」が魚を売り歩くのですが、昼が近づくころには、「金魚屋」が市中に金魚を売り歩きます。そのまた後ろから、涼やかな音色を響かせながら「風鈴屋」がやってきます。そのまた後ろには、なぜか「竿竹売り」がやってくるのです。

世界では、まだまだ食べることが大変だったであろう時代に、江戸の町では金魚を愛でたり、風の音を楽しんだり、はたまた今の巣鴨の近くには、毎朝大きな花市が立って、朝顔の種類だけでも700を超える品種が売買されていたと言われています。

まさに、庶民が文化を楽しむ時代を迎えていたのです。

社会のありようのはなし

社会は「差別」で成り立っている

私が養護施設の園長をしていた時、園長室の壁にかけてあった書には「人間は違いがあって当たり前。そのままを認めることから始めたい」と書かれていました。書いたのは私自身なのですが、この言葉は私の生き方の基本であります。今も相違ありません。

私が子どもの頃、とにかくみんな平等で、みんな同じことをするようにと、大人たちは頑張っていました。私もまたそれは、あたりまえのように受け入れていましたが、大人になるにつれ、「何かそれって違うのではないか」と考えるようになったのです。

「差別のない社会を実現しよう」という言葉を、誰しも聞いたことがあると思います。

しかし、差別のない社会は地球上のどこかにあるのでしょうか。また誰か差別のない社会の作り方を知っている人がいるのでしょうか。

きっと、どこにも存在せず、作り方を知っている人は誰もいないでしょう。人はみな違う、それぞれが唯一無二の存在（個性）であり、その誰とも違う一人ひとり全てが参加して社会を構成するのです。当然のことながら、それぞれに人は差があり、別がある存在なのです。社会というのは差別で成り立っているとさえ言えるのです。

差別がいいか悪いか、ということとはまた別の問題です。大切なのは、差別はあるということを認識することです。平等な社会を語れば語るほど、差別が浮き彫りになります。そして差別することが仕事にすらなるのです。

例えばサービス業は「差別業」ともいえるでしょう。一人ひとりにあわせた対応、つまり差をつければつけるほど客から高い評価をうけます。

私は、差別のある社会がいいと思っているわけではありません。危険なのは、ないものをあるかのように、または、あるものをないかのように言ってしまうことです。

差別のある社会で、我々は互いを侵すことなく、どう折り合いをつけて生きていくのかを話し合っていくのです。差別の問題に直面した当事者が、その都度議論を重ねます。きれいごとではすみません。しかし、それを体験したことのある人のみが問題解決能力を身につけることになり、それぞれの人格を高めていくことに繋がるのです。

さて、差別の対極にある「平等」という言葉ですが、平等な社会は、あるのでしょうか。それもまた、何か違うような気がします。

よく働く人と、あまり働かない人が、同じ給与を貰うことは決して平等ではありません。むしろ、働く人と働かない人との給与の格差があることが平等と言えるでしょう。でも、これらのことは基準を設けることが非常に難しい問題です。

では、平等と言うことを定義するとしたら、どういうことがいえるのでしょうか。

医師になりたい人がみんな医師になれるということは、平等ではありません。医師になることを目的とした学校を、受験する機会が均等にあることが大切なのです。そしてまた、そこを卒業し、国家試験を受ける機会が均等にあることが、あわせて重要なのです。

何人に対しても「機会均等」であることを平等というのです。

もうひとつ、「自由」という言葉があります。もちろん自由と勝手気ままは違うということは誰しもわかっていることですが、自由の定義とは何なのでしょうか。

それは、「選択の自由」を意味しています。そして、選択に対する責任を伴う所までが自由の定義なのです。

私が養護施設の中で子どもたちと食事をする時、大人が一杯目のご飯をついでいました。そしておかずは大皿に盛って、各々が取り分けて食べることが多かったように思います。私は、子どもが大皿から自分で取り込んだおかずを残すことを許しませんでした。それは、自分で食べる量を選択したことに対する責任だからです。おわかりの通り、最初につがれたご飯は、本人が選んだ量ではないため、残すことが許されます。「もうちょっとちょうだい」「もういらない」ということを言ってもいいのです。

選択と責任を伴う自由は、あらゆる場面にあるのですが、私が思う「究極の自由」とは、人を選ぶ自由を示します。

モノやコトを選ぶ自由は、自分の意志のみで決めることができます。しかし、人を選ぶ自由は、選択される側にも意思があり、その責任を互いに負うという、両者の選択と責任が一致しなければ成り立ちません。

「人として生きる」ことの意味は、「まず自分」であり、「人間として生きる」ことの意味は、「まず相手」を思うことから始まるのです。

「人間（じんかん）に生きる」（＝人間として生きる）ことは、複数の選択と責任が合致することです。

誰とも違う、複雑で不可解な人の存在が二つ、互いに選択し合い、自由を形取ることは、奇跡に近い出来事と言っていいでしょう。それは、人間にとって最も美しい自由の実現なのかもしれません。

理論と感情の迷路

どこかの政治家が、何かの機会に「安全と安心」という言葉を並記して話したことがありました。それを聞いたとき、バカなことを言う人がいるなと思ったのですが、「安全と安心」という言葉は、どこか語呂が良く、耳ざわりが良かったのでしょう。それ以来、政治家だけでなく、企業の経営者、それも大企業の経営者までが「安全と安心」を事ある毎に、まさに叫んでいるように思います。

しかし、「安全」ということは、基準を作れるが故に『理論』であり、「安心」という言葉は、『感情』であるが故に、基準を作ることはできないのです。即ち、「理論と感情」を並記して議論することは、結論が出ないということになります。

もし、「ここまでの安全基準を作りました」（＝理論）と言っても、「まだ心配です」（＝感情）と言われれば、納得・合意には至りません。

反対に、「一生懸命やりますから、心配しないでください」（＝感情）と言われても、基準（＝理論）を示さない限り、人は納得しないのです。

理論を議論する時は、感情を排さなければ結論に到達することはありません。

行政が主催する倫理委員会なるものが多くありますが、例えば、臓器移植が是か非かという委員会において、感情が先行する当事者が参加して議論がなされるべきではありません。少なくとも委員会のメンバーは、今その感情を持たない人で、純粋に理論だけで議論のできる人たちによって構成されていなければならないのです。

委員の中に、外科の名医と言われる人が入っていたり、自分の子どもに臓器移植を必要とする人がいるとすれば、当然、臓器移植は実現したいという感情があり、水平の中での理論を議論することが難しくなるからです。

ここで、臓器移植の是非について少し述べておこうと思います。

人が作る社会が、他の動物が作る社会より、優秀であると思いたいのであれば、「共食い」をすることは避けたいものです。臓器移植は、形を変えた共食いであり、これを許すと、必ず、弱い人が犠牲になることは明白です。

移植の限界は、骨髄移植までだと思います。なぜなら、骨髄を提供した人は、自分の力で、また骨髄を作ることができるからです。医学の進歩で、後に、再生医療が可能にならない限り、臓器移植を先行させることは極力避けていきたいものです。

コトが起きた時の解決は、当事者が入っていなければ解決には至りませんが、基準を作る時は、コトに至る人は入っては いけないのです。なぜならば、どうしても感情がそこに作用すると考えられるからです。


感情のぶつかりで起こしてしまう「いじめ」の問題があります。人が社会を構成している以上、人と人との間に、有利不利・強い弱いの関係は、当然あるのです。

ただ、子ども時代に起こしてしまう「いじめ」は、避けて通ることができない経験だとしても、結果が、取り返しのつかない事件に発展させてしまうのは、どうしても避けなければいけません。

例えば、長期間に渡って特定の人から一方的にいじめを受けることがあった時、周りの人が誰も気付かず、最終的にいじめを受けた人が、いじめた人を名指しして自殺してしまうとすれば、それは究極の仕返しであり、名指しされた子の人生は、生涯に渡って自らが関わったこととはいえ、背負い続けなければならない十字架となるのです。

これは、双方の子にとって大変不幸なことで、周りが気付いてさえいれば、避けることのできた社会問題なのです。

人間関係において、強い弱いは常に流動的であり、何をもって強いというか、何をもって弱いというかを定義できないのです。

感情の問題は、定義できない以上、法律とすることは出来ません。

従って、大人(社会)は、一つずつの問題を丁寧に拾い上げる必要があります。

しかし、大人である第三者が、内容を聞いて、判断し、解決しようとすることは、いたって陳腐なことと言えます。

解決するには、当人同士を参加させ、話し合うことを中心に、問題解決に向かって決着をつけるしかないのです。

問題は、問題を起こした人の参加でのみ解決に向かい、それぞれが、それを繰り返すことによって、問題解決能力を身に着けることができるのです。

権力を行使できる仕組み

私は児童養護施設の学園で、園長として5年、理事長として5年、合計10年を過ごしました。

心に傷を負った子どもたちの心の隙間には簡単に魔の手が伸びてきます。例えばタバコ、シンナー、万引き。手のかかる子どもが多くいました。

そういったことも理由の一つなのでしょう。過去にはたくさんの厳しい規律がありました。しかし、施設を「家」として考えた時に、「強いものが弱い者を侵さない」という規則以外はすべて撤廃しました。

もちろんきれいごとばかりではありません。話し合いがつかず、不本意ながら力に及ぶこともありました。今の時代では難しいことかもしれませんが、いのちに関わることなどは力づくでないと決着がつかないことがあるのです。

呼び出しを受けた学校で、学校側に楯突いたこともあります。やり方がおかしいと思い、学校側と激論したこともあります。子どもの方が驚いて私を止めに入ったこともあります。しかし、おかしいものはおかしいと思ったのです。そうやって「やっていない」と言い張る子どもを守り抜こうとしたこともあります。しかし、あとから子どものウソがわかって学校に謝らなければならないこともありました。

子どもたちそれぞれが持つ故郷は、帰りたくない・思い出したくもない場所であることがほとんどです。そんな子どもたちが、帰りたいと思う場所、帰ってもいいんだと思える故郷が「日本」であればいい。そんな思いから、夏休みに言葉も文化も異なる海外で1か月暮らさせたこともあります。

施設の子どもたちには贅沢ではないかと言う人もいました。でも私は、施設で暮らす子どもだからこそ、この経験が必要だと考えたのです。

次々に起こる、あまりにも多くの、大きな問題を解決していくためには、民主主義をとっている暇はなく、思い切り権力を行使し、即断即決する必要がありました。

そこで、私が意識して作ったのが、自分をクビにできる仕組みです。幼稚園にも小学校にも障がい児施設にも保護者会があり、子どもたちは保護者＝親に守られています。しかし、児童養護施設にはそれがありません。施設では、私も含めて大人（＝職員）が子どもたちの衣食住を押さえているのです。子どもたちは、最終的に職員の言うことを聞くしかありません。

これは対等な大人と子どもの関係とは言えないのです。寝るところと食べるところを押さえている大人が強いに決まっています。そして、子どもたちが何かを訴えようとしても、訴えるところはないのです。

児童養護施設での園長・理事長というのは最高権力者です。私は、自分たちの仕事をチェックする機能を作らねばならないと強く思いました。

自分が間違っているかを自らチェックするのはとても難しいことです。そこで、私はメディアに声をかけました。「湘南学園記者クラブ」を誕生させたかったのです。私の施設運営に記者が少しでも疑惑を持った時、親に代わって彼らがチェックをするのです。

同時に、「裁定委員会」なるものを作りました。委員は地元のお寺の住職・児童文学作家、記者クラブの代表者等5人があらかじめ任命されており、学園の職員及び子ども2人以上が、委員の誰かに訴え出た時、裁定委員会が開かれます。もちろん訴えたのが誰なのかを裁定委員は明らかにしません。私が聴取され、評決され、「問題あり」となれば辞表を出し、新しい理事が招集された時点でその職を辞します。

権力が問題なわけではありません。権力は行使する義務があります。問題は、権力の使い方にあるのです。

自分をクビにできる仕組みは、権力を正しく円滑に行使できる為に必要な仕組みなのです。

独裁国家の限界と民主主義

世界のそれぞれの国家の始まりは、君主の独裁によって歴史が始まったと言えるでしょう。独裁者の権力争いを繰り返しながら、君主の独裁とはいえ、善政をする時が来ます。その次の時代が民主主義への移行の時です。君主が去り、民が主なる時代に移行します。

専制君主の時代は、君主とその家族や一部の取り巻きのみが贅をつくし、その他ほとんどの国民は貧しいままで、経済を成り立たせます。従って国家の運営費としては比較的安上がりなのですが、民が主なる時代には、すべての人が同じように美味しいものを食べるとなると、国家の運営費は膨大なものになっていきます。

多くの人すべてが参加しての国家運営はできないことから、代表者が集まって国民の声を反映させる代議員制を取ろうとします。この時、代議員に立候補する人たちは、「私を代表にすれば必ずみんなを豊かにする。だから私を選んでくれ。税は安くする。100円納めてくれれば来年には500円にして返す」といったような無責任な約束をして、多くの議員が選出されていきます。

そして1年がたつと、確かに約束通り、100円の税金が500円どころか1000円にもなって国民の元へと返ってくるのです。国民は、「やっぱり民主主義はすごい。専制君主を倒して、民主主義になってよかった。あの議員を選んでよかった」ということになるのです。

しかし、これにはカラクリがあります。早くに民主主義に目覚めたヨーロッパの国々は、植民地政策というアジアやアフリカの、まだ未開の国々を制圧し、その国々を搾取して、その利益を国家と国民に分配していたのです。

アメリカのような、民主主義からスタートする国も生まれてきます。しかし、すでに植民地はいろんな国に占領されており、後発の民主主義国家であるアメリカは、奴隷制度を導入することになります。即ち、労働力の搾取です。

そして、民主主義は恩恵を受ける国民にとっては素晴らしい制度として浸透していきました。

その後、他国の利益の搾取や労働力を搾取するこのやり方は改めなければならないのではないかという、民主主義国家の中での反省と運動が起き、それを改めようという民主主義が起きてきます。

それが、錬金術を生むことになります。人を搾取するのではなく、その人たちと一緒になって、地球を掘り返そうというのです。この石は光っていて他の石よりきれいだろう。ダイヤモンドの発見です。この石は、黒いけど火をつけると燃えるだろう。石炭の発見です。地下深くから取り出した黒い水は、やっぱり火をつけると燃えます。これが原油の発見です。これらを使って産業が生まれ、新しい価値が生まれたのです。価値が生まれることによって経済が豊かになり、民主主義を謳歌することになっていくのです。

ところが、地球を掘って耕して、もうそれは、自然の限界をはるかに超え、今、温暖化という形で錬金術も行き詰ってしまいました。

今度は、掘り出したものを、地球に安全に戻すというその過程で経済を作っていこうというのです。これが環境問題を経済に取り込んでいこうという動きなのかもしれません。

ただ、いろいろと問題があるとしても、国家の運営制度が、民主主義で行っていくことがベストではなくてもベターであることは間違いありません。

今回、ウクライナに侵攻し、独裁と民主主義の最後の戦いが始まったように思いますが、今までの独裁と民主主義との戦いとは違って独裁が勝てるということはありません。なぜならば今やデジタルが発達し情報をコントロールすることが不可能だからです。独裁は情報がコントロールできて初めて成り立つ運営制度なのです。

しかしながら近年、世界ではナショナリズムが見直され、保守主義から独裁への憧れに似た思いを持つ国民や国家が増えてきたように思います。

これは、世界で、デジタルを含む科学技術や、多様なものの考え方による制度の変更・決定が急がれる事態となり、民主主義社会は、当然のことながら、独裁政権より、決定が大きく遅れることに起因しています。

例えば、5Gを6Gに変えようとするとき、独裁政権では、権力者が変えろと言えば、すぐに変えることができます。民主主義社会では6Gにすることで、どんな弊害があり、何が有効なのか等を丁寧に議論しなければなりません。

従って、決定されたときには、すでに独裁国家の決定からは大きく遅れており、研究開発の問題だけではなく、国益も大きく失ってしまうのです。

ギリシャで始まった、広場に市民がみんな集まり、直接賛否で決定した「直接民主主義」は、人口が増えることによって「代議員制」に移行しました。このことが、独裁政権より、物事の決定を大きく遅らせることになります。

決定が遅いことは、必ずしも悪いことではありませんが、世界と協調せざるをえない現代において、独裁国家が存在する以上、民主主義国家も、決定を急ぐ必要があります。

今、デジタル化が進み、インターネットを国民が使いこなし、マイナンバーが制度化されることで、「代議員制の民主主義」から、国民と国家が直接結びつく「直接民主主義」に移行できるようになりました。

例えば、一週間の中で水曜日を「国民が政治をする日」と定め、国の重要な案件は、国民に直接回答を求め、多数決で決定します。

この方法を取ることができれば、独裁政権との決定のタイムラグを大幅に縮めることができるのです。

選挙が告示される度に、近代国家の街にも拘わらず、ベニヤ板をタルキで止めた看板に顔写真を貼り、立候補者は、第二次世界大戦前後に当時の「国防婦人会」の人たちがしていたようなタスキに名前を書き、選挙カーに乗って、スピーカーの近くの人たちに名前を連呼しています。

100年後と言わず、50年後にこの光景を写真で見た人たちは、日本で、この当時何をしていたのかと、不思議に思うことでしょう。

民主主義国家の運営も、進化させる時がきています。

民主主義の進化

民主主義を一言で言おうとすると、立法・司法・行政の「三権分立」の原理原則を指すことができます。

初期の民主主義において、かたちは三権を分立させるのですが、「暴力」でその三権をすべて掌握しようとするものが出てきます。独裁の名残で、これが軍事政権です。

この時、「報道」を任務とするジャーナリストがペンの力で活躍し、国民とともに政権の追い落としを始めます。不条理な弾圧を受けながらも、ペンの戦いは続き、ついに国民の下に軍事政権を終わらせて、本来の民主主義のかたちで帰すことができます。

これに成功したとき、国民はジャーナリズムに対して感謝し、その正義を称えます。

ホッとする間もなく、次に「金権」で三権を掌握しようとする輩が現れるのです。金権政治のはじまりです。これもまた、根気よくジャーナリストはペンを奮い、国民とともに金権の追い落としに成功していくのです。ジャーナリズムの勝利です。そして国民は民主主義での国家運営をベターなものとして受け入れ、日常生活をしていくことになります。

ところが、よくよく事態をみてみると、こともあろうに今まで間違いなく正義であったジャーナリズムが、三権を掌握しているのです。ジャーナリズムが社会を誘導することのおかしさに、国民はなかなか気が付かないのです。

今、日本の社会はここに陥っています。ジャーナリズムの本来のかたちに戻っていかなければなりません。

報道がすべて悪いわけではありません。しかし、報道の行き過ぎや、思い上がりをチェックする確かな機能が必要なのです。

報道機関は、それぞれに倫理委員会のようなものをもっていますが、今あるものは、言葉は悪いですが、泥棒が泥棒の監視をしているようなものなのです。

近年、報道以外に、例えばテレビでは、娯楽番組の中に、食べ物を扱ったものが多く放映されています。中でも、何時間の間に、どれくらい多くの食べ物を食べれるのか、という大食い競争の垂れ流し番組は、もはや犯罪と言ってもいいでしょう。この時間にも世界では、食べられなくて餓死している子どもも大人もたくさんいるのです。

なぜ、報道は、そういった人たちのために、何かができるかを視聴者に考えさせようとしないのでしょう。訴えないまでも、食べ物を使った娯楽番組は、飢餓であえぐ人々を馬鹿にしていると思われても仕方がないことなのです。

他にも、反省すべきこと・今すぐに変えなければならないことがジャーナリズムの中にあることは明白です。当事者に、立ち止まり、議論し、結果を国民に示して欲しいものです。

複雑に見える世界の問題

これを書いている今もロシアがウクライナに侵攻し、大義も正義もない只々弱者が苦しいだけの戦争を繰り返しています。他にも、地球上では温暖化の問題に解決の見えない議論が進行中です。

55年前、私の住んでいる町の市長は成人式の席上で「今や地球上には、35億人の人が住んでいる。このままでは人口問題は大変なことになる。」と語っていたのを思い出します。今地球上には、80億にならんとする人たちが暮らしています。まさに人口爆発です。したがって弱い種である生き物は、住み場を失い、絶滅危惧種となってしまいました。

こうして問題を列記すると、何を議論し何から解決していいのかまるでわからず、それぞれの国や人が右往左往しているようにみえます。でも、よくよくそれらの内容を見てみると、全て一つの問題であることに気が付きます。すべて、エネルギーの問題なのです。

太陽系の地球に住む我々は、太陽を原点とするエネルギーによって生かされています。そしてそのエネルギーはコントロールしようとしても、人間の持つ欲や国益という名の下の欲によって、すべての人が納得できる配分をすることは困難で、不満を抱く人たちは、より多くエネルギーを獲得しようと、別のエネルギーで戦ってしまうのです。

そうしたことが問題をより複雑に見せ、議論を困難にして解決ができない現状にしているのです。

戦争・食糧問題・地球環境問題・健康問題・人口問題・絶滅危惧種問題など、全てエネルギー問題であることがわかります。

また、太陽エネルギーが核融合で発せられているものであることに関心のある人が少ないような気がします。

太陽系の中で核を分裂させることは、幾重に安全を確保したとしても、それは『反逆のエネルギー』なのです。核分裂は科学の方向としても厳に慎むべきだと思っています。

そんな中で、文化や芸術が発するエネルギーがあります。文化や芸術に関わる人たちは、文化や芸術は人間にとって大切なものであると誰もが語るのですが、文化芸術の何が大切なのかを語っている人に、出会った記憶がありません。

それは、文化芸術もまたエネルギーであり、他のエネルギーと違って唯一、人を傷つけないエネルギーだから大切なのです。

絵画を見て、好き嫌いはあっても傷つく人はありません。音楽を聴いて傷つく人はいないのです。世界のすべてのエネルギー問題を解決しようとするとき、それは、エネルギー問題の中にのみ導く方法を見つけ出すことができるのです。即ち、文化芸術が発するエネルギーを他のエネルギー問題と組み合わせて、循環させていくことが、解決に繋がると考えているのです。

なぜ文化芸術にそのヒントがあると思うかというと、例えば、早急に解決しなければならないエネルギー問題の中で人口爆発の問題があります。ところが、民度が高いと考えられる日本を含むG７の国々においては、人口爆発はしていないのです。むしろ人口は縮小に向かっています。

もうひとつ、エネルギーは決して消耗消費するのではなく、原点の太陽エネルギーがあらゆる生命体や物を経由して、形を変えながら宇宙を循環していることを認識しておかなければなりません。

先日開かれた「COP26」で、CO2排出削減の議論がなされましたが、重要なのは、排出されるCO2を、どうエネルギーとして次に循環させるかの議論が大切なのであって、CO2が人類にとっての悪であるかのような認識は慎むべきです。現に植物は光合成にCO2を必要とします。ただ、排出されるCO2の量が極端に多く、バランスを欠いているということに過ぎません。

これからの時代は、例えばアフリカの困窮する人々に食料を送ろうとするとき、食料だけを送るのではなく、文化芸術（例えばコンサートやダンス、日本の茶会や生け花等）を添えて届けることが大切になってきます。

受け入れ側の人たちがもつ文化と呼応し、食料というエネルギーが単に人々の体を通してセックスのみに使われるのではなく、文化芸術へも使われることによって、結果として人口がバランスをとる方向に進んでいくと思うのです。

このことは、発展途上国または最貧国の人々の平均寿命である35年から40年を1クールとして、やっと効果が見えてくる、時間のかかることになるかもしれません。でもこの方法は今生きている人々の命を一人も殺すことなくたどり着ける人口問題解決の手法なのです。

世界には、人口爆発を、戦争や意図的な虐殺等で解決しようという勢力があるのかもしれません。でも人口問題はそんな形では決して解決しないのです。

世界の難民の帰り着く所

この地球という星に人が出現したとき、どこにも国家というものは存在しませんでした。自然の中での暮らしは、大変厳しいものですが、人はそれぞれに集団を作って、春には花の咲く美しい所へ、夏には涼しい所へ、秋には実りの多い所へ、そして冬には暖かい所で一年を過ごしていたのでしょう。

多くの集団が、狩猟生活から、農耕生活をするようになって定住が進み、徐々に国民国家を形成していきました。現代も、まだ、ヨーロッパにも残るジプシーや、クルドの人たち、パレスチナの多くの人たち、ユダヤの人たち等、国家の確定が不確実で、それぞれにとって理想的な国民国家の形には道半ば

の集団が多くあります。

世界の国民国家の間には、すべて国境問題が存在し、紛争の原因となっています。当然、最貧国や発展途上国等、力の弱い国は、国内の権力闘争だけでなく、国家間の紛争にも巻き込まれ、弱者は国を追われ、世界の難民となる人たちが多く出てくるのです。

世界の国と比べて、日本は難民を受け入れないことを批判されることが多くあります。ヨーロッパやアメリカが難民を受け入れるのは、元来、奴隷労働を必要とした国であり、外国人の受け入れに比較的抵抗がないのかもしれません。

一方で、人を思う気持ちの強い日本は、難民をそのまま受け入れることはできません。故郷を追われることの辛さや寂しさ、未来が見えないことの不安は、察して余りあるものがあります。

難民が住んでいたであろうその国を支援することで、そもそも故郷を追われなくて済むようにしていきたいのです。

従って、やむなく難民を受け入れた時は、可能な限り人権と人格を尊重し、難民それぞれに、日本社会への融合を求めることになるのです。

このことは、日本人にとっても難民として来日した人にとっても、互いが非常に努力し、理解し合わなければ ならないことになります。

もちろん、評価は人それぞれでありますが、こういった日本社会の態度が、世界で最も差別意識の少ない国として評価を受けているのです。

難民を多く受け入れる国との考え方の隔たりは大きく、まだまだ議論の余地があり、表面上の一致をなかなか見ることができないのが現状です。

難民問題を世界が議論することは、今、多くの国が、国民国家であることの有り様を、見直すことに繋がっていくでしょう。

所詮、地球人は宇宙の田舎者です。銀河系といえども宇宙の隅っこにあるもので、ましてや太陽系など隅っこの隅っこにある未熟な生命体の存在なのです。
宇宙の真ん中には、きっと我々が想像を絶するような円熟した崇高な生命体があるのでしょう。そして彼らは、こんな太陽系の隅っこに居る我々を振り向きもしていないのでしょう。
地球で宇宙へ旅する時代が来たと云っても、大宇宙から見たら田んぼの見廻り程度のことなのです。田んぼの見廻りも大切ですが、地球人の存在だけが偉大で全てであるかのような錯覚を早く捨ててしまわなければなりません。
そして、意味のない戦争を終わらせ、食料やその他のエネルギーの奪い合いも終わりにし、田舎者は田舎者らしく、皆で仲良く暮らしていこうではありませんか。

日本の教育と継承

日本の教育は成功している

教育の話をしていると、日本の教育にいろいろと問題があることを言う人たちによく出会います。

確かに先進国に住むインテリと呼ばれる人たちは、教育課程において、必ず政治と宗教を学びます。日本では政治と宗教を教えることがありません。これはきっと問題なのでしょう。他にも、教育の内容において議論しなければならないことは、まだまだあるのかもしれません。

しかし、この段階においても、日本の教育は世界で唯一と言っていいくらい成功している国だと思うのです。

世界の人たちが、日本を訪れて一様に驚くのは、日本の国土は街であろうと村であろうとどこへ行っても、無条件に美しいことです。我々日本人は日本の街や村の状況を当たり前だと思っていますが、世界から来る人たちが見た時、ゴミを捨てたからといって罰則があるわけでもなく、ゴミ箱がないのに、通りや鉄道等公共の場所にゴミが落ちていない、それは不思議ですらあるようです。そして、ちょっと人見知りなところはあるものの、人は皆親切で優しいのです。

落とし物は、ほとんど返ってくることにも驚くようです。忘れ物は、その人がその場に戻れそうなときは、そのまま現場の近くに置いておきます。夜、女性が一人で夜道を歩いても、ほぼ安全であることに驚くようです。これほど治安のいい国はないのでしょう。

先進国（G7）の中で、日本だけがここ15年の間で、凶悪犯罪と少年犯罪が激減しています。毎日のニュースを見ていると、そんな風には思えないかもしれませんが、内容は一つの犯罪を繰り返し数日間、あるいは数か月伝え続けているのです。そして、日本の刑務所は、今、廃止・統合され、数を減らしていると聞きます。明らかに犯罪そのものが減っているのでしょう。こういう、国民のありようは、よい教育を受けた人たちによって成り立っているといえます。

また、日本の学校は、遅刻をすることを厳しく叱ります。私は小さいころ、始業5分前には学校に到着しなければいけないという規則に、なぜかいつも腹をたてていました。同じような思いをした人もたくさんいるのではないでしょうか。

大人になって、ある時、武士道について説明されたある書物を、何気なく開いた所に、武士道の第一義が書いてあり、それは「遅れをとるな」とありました。それを見て、はっとしました。日本の教育は、男の子も女の子も武士を育てる教育をするのです。確かに遅れていては何も始まりません。約束を守れる人になるためには、まずは時間を守れる人になることが大切なのでしょう。

成熟した人の条件は2つあります。一つは「弱い人を侵さない」、もうひとつは「自分との約束を守る」です。この条件を人がみな整えることができた時、法律がいらない社会をつくれるのかもしれません。でもまあ、そんなことは目標であったとしても無理なことはわかっています。人と人との関係において、何をもって強いというか、何をもって弱いというかは、定義することはできません。まして自分との約束を第三者が見えるわけでもなく、したがって法律は作れないのです。

でも、教育の効果は日本の鉄道の時刻表にも表れています。世界で最も正確に運行されるのが日本の鉄道であることは世界中の人が知っています。

外国の人々との約束においても、日本ほど律儀に約束を守り実行する国はありません。世界の多くの国は、日本のことを信頼しています。それは、日本人が持つパスポートを見ればわかることです。日本のパスポートは、世界のすべての国に入国できるのです。日本以外の国のパスポートで、世界中の国へ入国できるものはないと聞いています。

このことからも、日本人は信頼され歓迎される国民であるといえるでしょう。これもまた教育が成功している結果であると言えます。

海洋国家である日本の国民への教育は、すべての人が泳げるように授業の中で水泳を教えます。泳げないまでも、いざというとき、海や湖の中で浮くことができるように着衣による水泳も教えているのです。日本中の小中学校には、当然のようにプールが設置されています。そんな国は先進国の中でも日本だけでしょう。

２０２０年、香川県坂出沖で、小学6年生52名・教員等大人10名の、合計62名の乗る船が暗礁に乗り上げ座礁しました。子どもたちは、「泳げる子は海に飛び込んで固まって救助を待ちなさい。船からできるだけ遠くまで離れて固まって待ちなさい」という大人の指示に従い、救命胴衣をつけて海にとびこみました。恐怖で飛び込めない10名は沈みかけた船上で大人たちと一緒に救助をまっていたそうです。

恐らく、自分たちが乗っていた船が沈没するという状況は、大人でも冷静にいられる状況ではなかったでしょう。漁船や巡視船が来るまで、子どもたちは、恐怖に震える子に声をかけ続け、救助の際には、「この子から助けて」と、順番を譲り合い、救助されたときには、みんな「ありがとう」の言葉があったそうです。

間違いなく、この国の教育は成功に向かっています。日本の小中高で教鞭を執る先生たちは、外から、いろいろなプレッシャーが、これからもあると思いますが、自信をもって、自分を信じて、子どもたちに向き合っていってほしいと思います。

躾（しつけ）と教育

躾の語源は、「おしつけ」であり、人が社会生活をする中での「かたち」なのです。

「躾」という文字は、身が美しいと書き、人は皆、身が美しくあれ、という意味で、かたちを強要しているものなのでしょう。

食事の時、「いただきます」「ごちそうさま」、人に出会った時、「こんにちは」「はじめまして」等…、なぜ、この言葉を使うかというのに大した意味はありません。

近年、子どもから「どうして?」と質問され、一生懸命答えようとしている親に出会うことがありますが、説明する必要はないのです。確かに、語源を説明しようとすれば出来ないことはありませんが、これらは、日本の社会の中で、人間関係を良好なものに保つための潤滑油の役割として使われてきたもので、これからも、長く使い続けられるであろう言葉なのです。

躾は子どもたちに強制していくもので、主体性は躾る側の親にあります。

一方、教育については、主体性が受ける側の子どもにあります。

従って、「どうして？」という子どもの質問には、大人は適切に答える必要があります。家庭教育・学校教育・社会教育、と、場所によって、教育を分類していますが、いずれにしても、現場において、躾の範疇にあるものは強制し、教育は、子どもたちに機会と場の選択を許すものでなければなりません。

例えば、教育の中で、犬の大好きな子は、犬を飼えばいいのです。犬に、ドックフードを一日どれくらいの量を与え、一週間でいくらかかるかを計算すれば、算数が必要となります。犬と自分との関係を日記にしたり、言葉にすれば、そこに国語が必要となります。犬の歴史を学ぶことは社会を学ぶことで、犬の生態を調べることは理科を学ぶことになるのでしょう。

しかしながら、クラスの子どもたちそれぞれに、好きなことを実践させて教育を進めることは、現実には難しいことです。

そこで、教育の最大公約数である「教科」を設定し、実践しているのでしょう。

「算数・数学」という教科は、日常生活の中で使えるであろう、算数だけが必要なのではありません。微分積分といった数学は、将来、ほとんどの人が生活の中で使わないとしても、授業の中で講義していくのです。

なぜなら、「算数・数学」という教科は、子どもたちの、「物事を順序だてて考える能力」「物事を順序だてて説明できる能力」を引き出すために必要な教科だからです。

「国語」は、日本語を使って授業をしていきますが、教科としての、最も重要な目的は、子どもたちの、「物事を、かみ砕いて理解する能力」「かみ砕いて説明する力」を引き出すことにあります。

「社会」という教科は、歴史的な物の見方・考え方、地球上のあるいは宇宙の、地理的な分布の在り様 等を学ぶことができます。

「理科」は、もちろん、科学的な物の見方・考え方のできる人になる為の能力を引き出すのです。

そんな中で、教科として最も重要なものは「体育」であると考えます。

「体育」は、「Aという地点から、Bという地点に移動すること」であり、瞬時に、身体的・経済的に最も効率よく動けるかを判断し、行動します。子どもたちが引き出されたであろう能力を、総合的に行動学として実践する教科なのです。

各教科によって引き出された能力が、子どもたちの現状でどう総合的に身についているかを常に見ることが出来る教科なのです。

進学の為の教科になっていないことで、体育が疎かになっていることは、大変残念な限りです。

決して、体育はスポーツと混同してはいけません。

体育を専門とする教員の奮起と、教育界全般の意識改革を期待しています。

5表記の日本語

世界の多くの国では言語は2表記が基本です。例えば英語を話す人々は26のアルファベットと数字によって言語を成り立たせています。数字がない国はありません。フランス語もドイツ語もロシア語もほとんどの国が2表記です。言語が2表記で成り立っている国では主に左脳処理で言語が使われていると思われます。3表記の国というのもないではないですが日本語の世界だけは5表記です。5表記とは、漢字・ひらがな・カタカナ・数字・ローマ字です。

特に漢字を使う場合、例えば「親」という字を一文字見た時、日本人はすべて「おや」と読みます。「親」の下に「しい」をつけた場合、「した」と発音します。「親」と「切る」を合わせた場合、「しん」と発音します。漢字の熟語にした場合、すべて、「しん」と

読むのかと思いきやそうではありません。「親」と「子」を合わせた場合はそのまま「おや」と発音します。子どもの名前に「親子」とつけた場合、多くは「ちか」と読みます。

こうして、漢字を使った表現は、映像によって読み方をすべて変えるのです。即ち、映像処理する言語というのは、右脳処理です。日本語は、右脳と左脳を同時に使いながら、処理していくのです。

7歳を迎える年に小学校に入学し、15歳で中学校を卒業する9年間。即ち義務教育期間には、当たり前のことですが、あらゆる教科は5表記を使って学習します。結果として、右脳と左脳をそれぞれ発達させるだけではなく、左右の脳の連絡と関係性まで作り上げることができると考えています。

一方、多くの2表記の国では、言語によって左脳の発達を促し、それとは別に右脳を刺激発達させるために、芸術教育を大切にするのだと思います。しかしこのことは、右脳と左脳を別々に刺激するのであって、右脳左脳を中心とする脳の関係性に繋がってはいかないと思うのです。その繋がりを作っていく為の教育が、恐らくハイスクール（高等教育）によって成されるのだと思います。

日本では脳の関係性はすでに出来上がっているので、あまり高等教育に意味があるとは思えません。多くの高校生は授業の面白さを体験するよりもクラブ活動に重きを置いているように思います。

日本の教育は義務教育が終わればすぐに専門教育に繋がってもよいのです。

義務教育を終えた後、すぐに専門教育に入る制度が一つあります。それは、高等専門学校、高専の存在です。現在全国に57ある高等専門学校は、多岐にわたる実践教育を行っており、中でも工業系のロボット研究開発教育は、世界が目を見張る内容と聞きます。これはロボット技術における教育の底辺の広さを示しており、このことが、日本が世界に活躍するロボット技術の貢献に繋がっているのです。

もうひとつ、日本語表記には特徴があります。縦書きと横書きの双方を、無意識のうちに使い分けているのです。

特に縦書きによる表現は、恐らく右脳に多くの刺激を与え、縦書きの文字を読むことによって、内容が右脳で映像化されていくのでしょう。

小説やその他の物語は、ほとんどが縦書きで表現されています。小説を読んで感銘を受けた作品が映画化されて、喜んで見に行くと、大抵の場合がっかりします。それは、小説に感動しているのは、読むことによって作り上げた自分の映像を含めてであり、映画化された作品はストーリー性は別として、映像が自分の無意識で作った映像と大きく異なることにがっかりしているのです。

逆に映画をみて感動した後、小説を読むと、がっかりするどころか、より深い感銘を受けていくのです。それは、読む段階ですでに、映画による映像が自分の中にあり、小説を読むことによって内容と映像はより自分の中で深まり、違和感がないどころか、感銘と感動に繋がっていくのだと思います。

左から右に読む横書きの表現は、例えば国語以外の教科書や学術論文等、理論的に解釈するものが多いように思います。また、雑誌や参考書で、説明や主文は横書きで表記されるのに、そのページの隅に記載されているコラムやこぼれ話の欄は縦書きで記載されることがあるのも、無意識に読者へ伝えやすい表記を選んでいるからだと思います。

眼球が上下に動くのは恐らく右脳への刺激が強く、眼球が左右に動くのは左脳への刺激に繋がっていると考えられます。

なぜ眼球が左右に動くと左脳なのかというと、例えば、部屋の中で横幅が何メートルあるかを想像したとき目測だけで数字を出すことができるはずです。一方同じ場所で眼球を上下に動かしたとき、床から天井までの距離を目測で数字を出すことは難しいと思います。即ち、眼球が上下に動くのは右脳に働く映像なのでしょう。

話は日本語の5表記に戻りますが、例えば一つの言葉を表すときに、「私」「わたし」「ワタシ」「WATASI」と、文字ひとつだけを取っても、読み手に与える印象をまったく変えることができます。つまり、あらゆる言語を翻訳するとき、多彩な表現で、できる限り忠実に、その言語に近い表現で翻訳することができると考えます。このことは、あらゆる文献は、すべて正確に日本語訳の本として出版できるということです。

また、日本には、驚くほどの数の図書館があります。各地域にある図書館３６６０館、大学・短大・高専に１７００館。小学校・中学校・高校でも、図書館のない学校はありませんので、その学校数の合計がおよそ3万4千校。つまり約4万の図書館が日本にはあります。他の国の文献を翻訳したとき、翻訳者は図書館に納入することができれば相当マニアックな文献であったとしても食べていけるのです。世界の文献は、英語に翻訳されたものが最も多いと聞いています。こんな複雑な言葉であるにも関わらず、日本語に翻訳されたものが2番目に多いのです。

デジタルの時代を迎えて、日本の若い人たちは、誰が始めたかは特定できませんが、絵文字を発明し、使っています。

これは世界の人も反応をはじめ、恐らく、１５００以上の共通文字が確定できるようになれば、世界の表意文字として使用することは可能となるでしょう。

日本における、６表記目の時代を、若者は創造してきたのです。

伝統と伝承

昔、表現されたすばらしいパフォーマンスを、寸分たがうことなく表現を繰り返し、今に繋ぐことを「伝承」と言います。

「伝統」とは、過去にあった表現を徹底的に打ち破り、それでも尚 残ったものと、その時の価値を融合して表現します。そして、その新しい表現もまた、次の時代に打破され、残ったものと時代の価値が融合して次に繋ぐということを繰り返すのです。本物は、いくら打破しようとしても壊れることはなく、時代を超えていくのです。

ある時、スイスのジュネーブにあるＷＨＯの本部で、たまたま目にしたのですが、膝を壊した人のリハビリ後の回復指標が、日本以外の国では90度の角度に曲がるまで回復すれば全快とされているのに対し、日本の設定のみ、178度の角度で全快とされ、但し書きに「曲芸のような座り方をするから」と書かれていました。

では、世界に正座はないのかというと、全ての国に正座はあります。しかし、それは、拷問の姿勢であり、日常の文化の中に存在しているのではありません。

日本における正座が、いつ頃から生まれたのかを調べてみると、意外と新しいことがわかります。もし、昔から正座をしていたのであれば、仏像の中に、正座をしたものがあってもよいはずです。

京都の三千院に鎮座される仏様の中に、正座らしき形を見ることができますが、裏に回って足を見てみると、指を立てておられます。

もともと日本の女性の日常着は、幅広でゆったりとした上着に、袴をつけて、ベルトは芯の入っていない帯を蝶々のように結んでおり、髪の毛は、後ろで束ねてポニーテールにすることが多かったようです。

家は、基本的にフローリングに藁で作った円座が使用されていて、従って正座はしておらず、男性は胡坐で、女性は立膝で座っていました。

江戸時代、元禄に入って日本は経済的に豊かになっていき、大名は参勤交代の費用を商人から用立ててもらうことも多く、日本津々浦々にお金が循環し、一生に一度、お伊勢参りに行くことができる娘たちも浮足立ってきたのです。参勤交代に参加した人たちに道中の情報を聞き、旅の計画を立て、それはそれは楽しみにして暮らしていたのでしょう。

一方幕府は、民衆の自由を放置すれば、統治が難しくなると考えました。そこで、女性の足を物理的に止める為に着物の形を変えることとし、まず上着の反物の幅を狭くして、そのまま足首の所まで伸ばし、もともと着けていた袴を取らせ、ベルトは、幅広にして芯を入れて固くし、胸の所で結ぶという、現代の着物の形に近いものとしました。

この形になることによって、女性の歩幅が狭くなり、物理的に動きにくくなることで足が止まることに繋がりました。

女性の足が止まれば、男性の足も止まり、社会は落ち着きを取り戻すと考えたのです。

この着物の形になると、立膝で座ることは出来ず、正座にならざるを得なくなります。

しかし家屋はフローリングで、ほとんどの家は、藁のむしろが敷いてあることが多く、正座には一工夫が必要となりました。そこで、宮中や寺院に敷き詰められてあった畳を、庶民の生活に持ち込むことにしたのです。

宮中や寺院でのみ働いていた畳職人は、職人の中で最も位が高いため、家の大きさに合わせて畳を作るのではなく、畳の大きさに合わせて家を建てることになりました。従って、最も大きなイグサが手に入る京都の畳は、京間と言って家の一間の寸法が長く、次に長いイグサが使える中京間は、京間よりは短い一間ですが、江戸間よりは大きいのです。即ち、良いイグサの手に入る順番で、家の寸法は変わるという、

世界でも珍しい基準を持った家づくりとなっていました。

普通敷物は、家の大きさに合わせるものですが、敷物に合わせて家を建てるという、ユニークなものになっていたのです。

因みに、畳が全国津々浦々に行き渡ったのは、昭和に入ってからだと言われています。

正座が生まれた時代の日本人の平均身長は、男性が150センチ台、女性が140センチ台で、栄養価も低く、恐らく、体重も軽かったであろうと推測できます。現代人は、平均して、江戸時代の人より20センチ以上身長が高く、体重も1センチ1キロとしても、20キロ以上重いと思われます。

膝の蝶番は鍛えることが難しく、江戸時代の

人と同じだとするならば、現代人は、子ども一人を背負って正座するようなもので、膝が悲鳴をあげることは想像に難くありません。

日本文化の中で、正座に固執することは、他の文化との交流を難しくすることだけでなく、正座を日常としてきたであろう高齢者の多くが、膝を痛めている現状を見て、伝承に値しないとの結論に至りました。

私が家元を務めていた黄檗売茶流の茶席は、平成元年から、すべて立礼(椅子とテーブルを使用すること)を基本とし、正座をする茶席を廃することとしたのです。

当時、周りからは非難が多く上がり、特にお茶の世界に在る人達からは、呆れられていたように思います。

しかし、30年以上経った今、膝を痛めた高齢者もお茶を楽しめ、外国の人たちも違和感なくお茶の世界に入ってくることができています。当代の家元もまた、これを継承し次の時代へ歩を進めているようです。

今ある、形と価値も、次の時代に、必ず合わせて打破される運命にあります。過去からの伝承も含めて、「偽物」は壊れ、壊れなかったものが「本物」としてその時代の価値観と融合し、次の時代に日本文化として残っていくことでしょう。

歴史は感染症との歴史

今回の新型コロナウィルス感染症流行により、ヴェネツィアの仮面舞踏会が中止になるというニュースを耳にしました。仮面舞踏会の仮面は、かつてヴェネツィアにペストが流行したときに、医者がマスクをし、口元にハーブを詰めたくちばしのようなものをつけ、マントを羽織り、感染者を治療した衣装だと言われています。それが、ペストの流行が収まった時、装束が仮面舞踏会に残ったものときいています。

そんな仮面舞踏会が感染症によって中止となるのはなんとも皮肉なことだと思いました。日本でも、感染症に絡んだ祭りや行事がたくさん中止になりました。奈良の大仏、京都の祇園祭…日本にある史跡や行事は、感染症との繋がりで生まれたものが多くあります。

私はお茶の家元をやっていた関係上、日本の礼法についても専門家のつもりでいますが、今回のコロナウィルスの流行を見た時、日本では、感染症の経験を、祭りだけではなく、礼法の中に残してきたことに気が付きました。

日本のような島国では、感染症の対応を誤ると、致命的な破壊に繋がると考えたのでしょう。人と出会って握手をしません。ハグをしません。それどころか、一定の距離を取って互いに腰をおり、挨拶をかわすのです。

よく外国の人たちは、日本人は首を曲げると言いますが、礼法で首を曲げて挨拶することはありません。首を曲げてしまうと、周りの殺気を感じることができなくなるので、顎を軽く引いて、基本的には腰を折るのです。動作に入る時、必ず息を吸いながら動きます。そして、止まって初めて声を発するのです。即ち息を吐くのです。この時、飛沫は地面に向かいます。挨拶が終わって、またゆっくりと息を吸いながら元の姿勢に戻っていきます。

今回の、コロナ対策の中で言われているソーシャルディスタンスは、日本の礼法の中では自動的に取れているのです。

また、かつて日本の食事は個食が基本でした。一家の中にあって、大黒柱であるお父さんは、家の一番奥の部屋で運ばれたお膳を一人で食するのです。お父さんが一番奥で一人で食べるのは、恐らく感染症にかかったら、一番一家にとって困ることになるからなのでしょう。次の間に、お母さんと長男がそれぞれのお膳で食事をします。そして、その家の使用人に至るまで、箱膳と言う個食をとり、黙食であることは基本です。そして、日本の建物は必ず履物を脱いであがります。これもまた、可能な限り外界の菌を家に持ち込まない配慮から生まれた習慣なのでしょう。

今でも、学校ではグランドから校舎に入る時も、たくさんの蛇口が並ぶ洗い場で手を洗い、そして、上履きに履き替えて子どもたちは教室に入っていきます。日本の礼法は、国民の社会生活のマナーへと発展させ、現在にも息づいています。したがって、感染症は世界に比べて抑制的であるのでしょう。

国土の70%を森林として維持している日本は、安全な水を国民に100%提供することが出来ます。

手洗い・うがいをすれば、大方の菌やウィルスを防げると言いますが、うがいをする水、手洗いをする水を確保できる国は少ないのです。湯船の水、トイレを流す水にいたるまで、飲める水を使用しているのは、驚くべきことです。

日本の森林は、林野庁によって国土の70%を維持しています。ただ自然をそのままに保護して残っているわけではありません。森林の内80%は、ダム建設を含む人工林として、国土を保全しています。

鎮守の森は、手出しのできない森として地域の住民によって保護されています。

世界の多くの国は、安全な水を国民に確保できないことが、国の経済と運営を行き詰まらせることに、早く気が付かなければなりません。

世界の国々は、地球規模の問題解決を考える時でさえ、自国の国益を優先しようとし、さも、当たり前のように議論しています。その中に日本もいるのですが、これではますます世界は混乱するばかりです。
そこで、新たな発想で、すでに提案されているものを加味しながら、「世界のリーダー日本」となる為の、政策の実行をここに数例示してみたいと思います。

未来への提案

バリアフリーからユニバーサルデザインへ

バリアフリーというのは、特定の何かの障がいを持った人に対して、そのインフラを使いやすい状態にすることをさしています。しかし障がいを持った人にとって、自分のために、あるいは自分と同じ障がいを持った人のために対応してもらうことが、どこか申し訳ないような気持ちにもなると思います。

インフラの中に存在する機能や形は特定の人のためではなく、全ての人にとって、使いやすいものにならなければなりません。それが「ユニバーサルデザイン」であると考えています。

例えば、世界に誇る日本の新幹線を見た時にも言えることで、たしか東海道新幹線の11号車のドアは、その他の車両よりも大きなドアが付いていて、車いすを使う人にとって、使いやすいものになっています。しかし、他のドアを見た時、一般の乗客にとっても、もう少しドアの幅が広くてもよいのではないかと思うのです。車いすの対応を含め、誰もが使いやすいドアの幅は、あると思います。

鉄道の座席についても、今は優先席という名前に変更されていますが、かつてシルバーシートという言い方で始まったと記憶しています。気持ちとしては、高齢者の人が混雑しているときでも優先して座れる席を準備しようということであるのでしょうが、そこに高齢者優先席を作ることによって、他の席では高齢者に配慮する必要がないというふうにも解釈されてしまうのです。もし、特定の優先席にするのであれば、私はシルバーシートとするのではなく、ヤングシートとした方がいいのではないかと思っていました。なぜなら若い子でも学校で足をくじいたり、あるいは高熱を出して立っていることがつらい子もいるはずです。そういう子が優先的に座れる席とすれば、他の座席はすべてシルバーシートと解釈することができます。

２０２１年、東京オリンピックが開催されました。私はこの時、あるオリンピックの委員に、こういう競技をしてみてはどうか、と提案したことがあります。それは、「障がい物駅伝」です。

駅伝という競技は、世界陸連が公認しているゲームで、長距離をいくつかの区間に分けてタスキを使ってリレーしていき優劣を競う、日本で誕生したゲームです。今回は駅伝の中に、障がい条件を設定したリレーとして、オリンピック委員会で議論してほしかったのです。

パラリンピックという名称は、１９６４年に開催された東京オリンピックではじめて使われた名称であると記憶しています。オリンピックとパラリンピックを並記して行われた素晴らしい大会であったのですが、半世紀以上たった今回の東京オリンピックは、オリンピアンとパラリンピアンが融合された大会に発展しているべきだと考えていました。そこで障がい物駅伝を思い浮かべたのです。

例えば、最初の1区間が５０００メートルの時、当然、国の中で５０００メートルを最も速く走れるスペシャリストが選ばれてきます。これはオリンピアンの中から選ばれるでしょう。

次の区間、車いすを使って5000メートルを走るとします。その場合の代表は、車いすを使って最も早く走れれば誰であってもいいのですが、結果的には、最も早い選手はパラリンピアンの中から選ばれるでしょう。

次に、アイマスクをして1キロを走る区間を設定したとします。これは、誘導される音を頼りに1キロを走り切るのですが、私は高校時代、それに似たようなことを友達の中でやった経験があります。普段目の見えている自分がアイマスクをした時、走るどころか、動くことすら恐ろしかったことを思い出します。私は、アイマスクをして走るスペシャリストは、日常目の見えない人の中から選ばれてくると予想しますが、果たしてどうなるのでしょうか。

いろんな障がいを条件にしてリレーを続けていくのですが、最後の国立競技場のトラック1周は、市販されている三輪車で走破するとします。市販されている三輪車を使って最も早く走れるのは、幼稚園年長組前後の年齢の子どもの中から選ばれてくるでしょう。大観衆の中で、選ばれた子どもはいろんな反応をします。中には泣き出してしまう子もいるかもしれません。ペダルを踏むのをやめてしまう子もいるかもしれません。競技場の中でサポートする大人たちや、スタンドでそれを見守る観衆は、一体となってはらはらしながら励まし、声援を送り続けることでしょう。

これは、もはやメダルの問題ではなく、どの国が勝った・負けたを超えた、互いの健闘を称えあうことの素晴らしさを実感できるフィナーレを迎えると思うのです。

今パラリンピアンが世界記録をもっている種目が出てきています。走り幅跳びのジャンルでは、世界記録はパラリンピアンが持っています。今回も、世界記録をもっているパラリンピアンは、オリンピックに登録したいと申し出たようですが、オリンピック委員会からは拒否されたようです。

どんな理由で拒否されたかはわかりませんが、恐らくパラリンピアンは納得していないでしょう。

また、トラック競技で、3000メートルや5000メートル等のオリンピック競技では、選手間の駆け引きが勝敗を決めているようです。しかしパラリンピックの視力障がい部門での3000メートルや5000メートルでは、選手間の駆け引きができない為、ただひたすら走り込み、結果としてオリンピックの優勝タイムより、早い記録が出ているようです。

これらのことから言えるのは、パラリンピックのゲーム進行は、「カテゴリー」を丁寧に分けて、その中で戦うゲームとしていることの素晴らしさです。今のオリンピックもまた、パラリンピックの中の「カテゴリー」の一つとして存在させれば、世界のすべての人を受け入れる「オリンピックゲーム」にできると思います。まさにオリンピックが「ユニバーサルデザイン」となる時が来たのです。

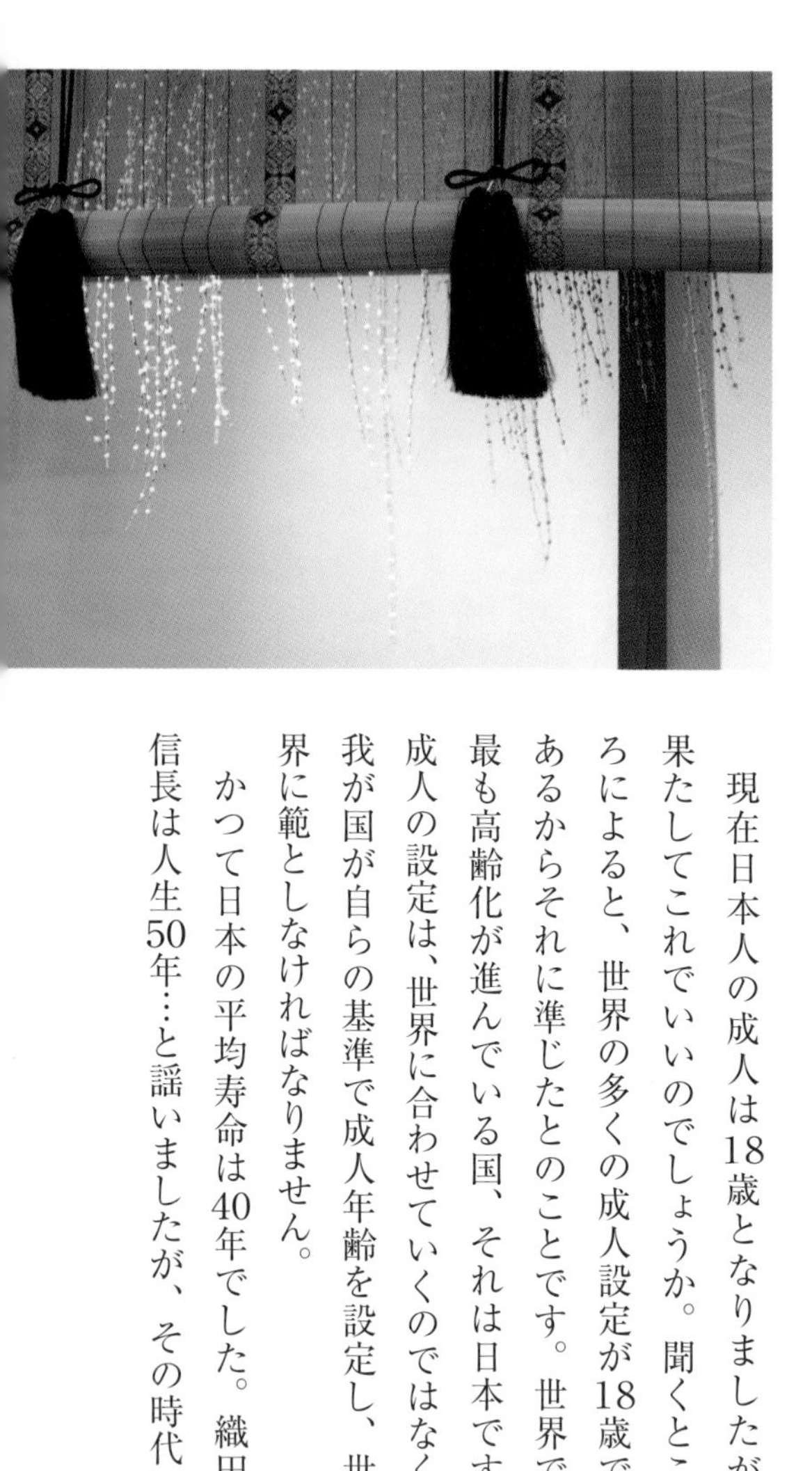

28歳「成人」説

現在日本人の成人は18歳となりましたが、果たしてこれでいいのでしょうか。聞くところによると、世界の多くの成人設定が18歳であるからそれに準じたとのことです。世界で最も高齢化が進んでいる国、それは日本です。成人の設定は、世界に合わせていくのではなく、我が国が自らの基準で成人年齢を設定し、世界に範としなければなりません。

かつて日本の平均寿命は40年でした。織田信長は人生50年…と謡いましたが、その時代の平均寿命は35年ほどであったはずです。その後の江戸時代、明治維新の時も、まだ人生40年ほどです。この時代の元服、つまり成人の設定は14歳でした。

有名な童謡に「十五でねえやは嫁にいき～」という歌詞がありますが、人生40年の時代、14歳で成人し、1年奉公して15歳で嫁に行くのは普通のことでした。

人生は物理の法則にあてはまります。成長が早ければ早く人生を終えることになります。人生が40年の時代は、14歳で成人しなければ一生が間に合わないのです。

では現代はどうでしょう。日本では人生80年を超えました。単純に2倍の長さです。ボールを投げることに例えると、緩やかな角度で投げた球は遠くに飛ばすことが出来ます。即ち現代の若者は、成長が緩やかになったといえるでしょう。成人というものを、この変化に合わせて議論するべきであると私は考えています。

明治時代、政府はヨーロッパ中の憲法を見て回りました。当時の帝国憲法はドイツの憲法が基礎になっています。ドイツの成人設定は18歳でした。しかし、日本では20歳としたのです。これは実は世界で最も高齢の成人設定でした。明治の人は、恐らく先の100年を見据え、人生50年、更に超えて人生60年になっても通用するようにと、20歳を成人に設定してくれたのだろうと推察します。だからこそ日本は長く上手くやれたのです。

考えてみれば、人生平均寿命が40年の時代に20歳を成人に設定することは、14歳から6年も、高齢に引き上げたことになります。恐らく多くの人が戸惑ったことでしょう。しかし、このことが明治の人の先見の明なのです。

戦争を体験した日本は1960年あたりから、平均余命が伸びてきました。人生60年の時代、人生の3分の1は子どもでありました。その時に成人の設定を、再度国会で議論するべきだったでしょう。人生80年の時代の20歳は、当時の中学生レベルだということに気が付かないといけないのです。

では、人生80年の時代には成人年齢を何年にしたらいいのか。それは、人生40年だった時代の元服年齢の倍、つまりは28歳にすればいいのです。

オリンピックにおいても、その他のスポーツにおいても明らかに男女ともに選手生命のピークは高齢化しています。

日本人の女性の初婚の平均年齢は30歳を超えています。また、子どもを出産できる年齢も高齢化しています。つまり今では母体の成熟も高齢化しているということです。

企業で働く人たちにとっても戦力になる年齢は、高齢化していると思われます。

何歳で就学するかを議論するのではなく、成人の設定を何歳にするかで社会のありようと人生の設計を考え、システムを考えなければならないと思います。

例えば、昭和20年代に作られた年金制度は、20歳から40年間年金をかけ60歳以降に年金を受け取ることになっています。今もその制度が維持されています。しかし、制度ができた時代、20歳の人たちは95％の人が社会人になり働いて収入を得ていました。ほとんどの人が中学、高校をでて働いていたからです。

しかし、今の20歳の人はほとんどが大学やその他の学校に在籍し、収入は得ておりません。年金をかけることは不可能なのです。これもまた、30歳から40年間、70歳まで年金をかけ、その後に受け取る、即ち10年制度をスライドすることによって、年金制度もまた正常に動いていくのではないでしょうか。

成人が28歳になれば、子どもも親もゆとりができます。じっくりと人生について考え、歩みを進めればいいのです。成人を迎えるまでは、自分に投資するもよし、働いてみるもよし、世界を放浪したっていいのです。それが、本当の力を身につけることになるのではないでしょうか。80年を超える人生は長いのです。

きっと、28歳の新成人達が自分たちで企画し自分たちで運営する成人式は、みごとな、素晴らしい式となるでしょう。

今に繋がる武士道の甲子園

さて、国民的スポーツの一つに、高校野球があります。全国3500を超える硬式野球部が、夏にトーナメント方式で甲子園を目指します。地方大会から、たくさんのファンが詰めかけ、それは日本の夏の風物詩です。お気づきの通り、甲子園大会は、「勝負」ではなく「試合」なのです。勝負とは、命をかけて戦うことをさします。参加した球児の未来において、大きな人生の決断が、悔いのないものとなるよう、学びの時代に自分を磨くことが試合なのです。即ち、「試し合い」なのです。

甲子園大会は、参加する球児の学びと経験にならなければなりません。こうした思いで、高校野球大会は１００年を超えて開催されているのでしょうが、今、武士道と教育の観点から、このありようを見直す必要があるように思います。

地方大会の一つずつの試合から、勝ったチームがスコアボードに向かって整列し、校旗掲揚と校歌斉唱をしています。一方敗者はベンチの前に整列し、泣きながらその光景を見ているのです。

私は、勝者ではなく、敗者こそが校旗を掲揚し、校歌を斉唱するべきだと思います。それは、「敗れましたが、我々は今ある力のすべてを出し切り、正々堂々と戦いました。このことをここに報告し、球場を去っていきます。」という、母校に報告する大切な儀式にならなければならないと思うのです。

この形式であれば、参加したすべてのチームが、校旗掲揚と校歌斉唱をすることができます。そして、ベンチの前に勝者は整列し、敗れた相手チームの無念さや、くやしさを背負って、次の戦いへ進んでいくのです。

このかたちをとることで、球児たちは、負けて尚、声援を送り続けることができるのです。

甲子園で最高優勝したチームのみが「勝利の校旗掲揚と校歌斉唱」を行います。一試合ごとに勝者に思いを託した全国の高校球児たちは、優勝したチームに心から祝福を送ることができるでしょう。

それは、多くの国民が受け入れる新しい高校野球大会のあり方なのです。

また、高校野球大会の役員や運営を、大人がいつまでも、やっていていいのでしょうか。18歳を迎えた高校生はすでに、いいか悪いかは別として選挙権を持っています。高校生にもっと社会的に責任を持ってもらう為にも、当然、高校野球大会の会長は高校生が務めるべきです。高校生から要請があった時に大人たちはサポートをするのです。

例えば、高校野球大会の会長は前年度全国高校野球大会の最高優勝校の生徒会長が務め、副会長は準優勝した高校の生徒会長が務めます。こういった人事のやり方で、高校野球大会が、野球部だけの大会ではなく、全国の高校生全体の責任ある行事となり、社会に対する高校生の責任を自覚させるものに繋がっていくことでしょう。

自転車専用道

新型コロナウィルスの流行、変異株の嵐、世界中を駆け巡った感染症によって、日本も思わぬ出費で経済が行き詰り、経済の立て直しが急務となっています。

しかし、従来の感染症流行以前に戻ることは世界中で難しく、「モノづくり日本」も工場を海外に求めすぎてうまくいかず、「観光立国日本」も安価な団体旅行の受け入れは難しく、国家経済再生は一筋縄ではいきません。

大切なことは、日本再生への新しいコンセプトを持つことです。例えば、コンセプトを「健康」としたとき、ムーブメントは自動車から自転車へシフトされていくかもしれません。

現在日本には北海道から九州の鹿児島まで、そして沖縄にも自動車専用道が完備されています。その自動車専用道は、車が走る道路の外側に大きくのり面をもっており、そこに、自転車専用道を上下線に設置・建設することで、すべての都道府県に公共事業をスタートさせることができます。もちろん、この事業だけで経済が再生するということではありませんが、大きなきっかけになることは間違いありません。

全ての自転車に、発電機を装着し、発電された電気は自転車道の路面で受け取り、エネルギーとして利用できるようにします。通行料として、その電気を受け取るのです。また、今ヨーロッパでは、富裕層を中心に自転車文化が浸透しています。自転車専用道ができれば、ヨーロッパの人たちは、自転車を携えて日本へ旅行に来るでしょう。自転車での長距離移動が可能になることで、自転車の利用人口は格段に増えます。自転車に関わる新しい商品が開発されるかもしれません。観光においても、自転車によって新たな需要と設備が生まれます。

日本は、高圧線や町の中の電柱が埋設されれば、それは風光明媚な景色となります。そして、沿線には温泉がたくさんあります。疲れを癒し、旅を楽しむには、最高の環境です。日本の温泉の使われ方も、本格的な地熱発電所の開始等、今までとは違った新しい価値を加味することになるのです。

もちろん健康だけに留まらず、環境問題の解決にも合致します。

こうして自転車文化は、多岐に渡って発展していくのです。

日本文化と世界文化の交差点

交流なき文化は必ず枯渇します。我々の生活をさかのぼった時、世界の四大文明に行き着くと言われています。4つの文明は、いろんなかたちで交流できたから、今の我々の文化に繋がったと言えるのでしょう。

一方、アメリカ大陸に生まれたインカやアステカの文明は、交流することができなかった為、消えてしまったと考えられます。

もし、これらの文明が四大文明と交流していれば、我々の生活はもっと違ったものになっていたかもしれません。なぜなら、約千年前、鉄がなかったにもかかわらず幅4メートルの織物がすでに織られていたのです。また、明らかに脳外科手術をしたと思われる頭蓋骨が大量に遺跡から出土しています。

四大文明を基礎とする我々の世界では、幅4メートルの織物や脳外科手術は、近代に近づいてからしか始まっていないのです。

今、日本文化は世界で高い評価を受ける文化として存在しています。しかしながら、他の文化との交流ができなければ、これもまた、消滅してしまうのです。もちろん、インカやアステカの時代とは異なるため、完全消滅とはならないことは明らかですが、大きく、文化が花開くということにはならないでしょう。

日本人は文化を考える時、「風土」という言葉を大切にします。これは、恐らく交流を意味している言葉で、「風の人と土の人」の出会い・「風の文化と土の文化」の出会いで、風土が生まれ、文化が成熟し発展すると考えているのです。

今、日本文化を他の文化と交流させようとするとき、「日本語」が大きな壁となって、難しくさせています。

まず、「日本文化の教科書」を『日本語』で作り、それを、世界の言語に翻訳するのです。そして、それぞれの言語毎に、この教科書を使った学校を設立します。

例えば、フランス語で日本文化の授業をはじめます。そこで学ぶ日本人は、フランス語が話せ、読み書きができるようになったとき、日本文化に精通します。日本文化をフランス語で語れることは、文化の交流に大きな貢献をすることに繋がるでしょう。

また、日本文化を学びたいフランス人は、この学校に留学することによって、日本語を学ぶ前に、母国語で直接日本文化を学ぶことができます。

今、外国人が日本文化を学ぼうとするとき、先に日本語の習得が大切で、日本文化を学ぶことが後回しになります。「フランス語・日本語・日本文化」の順番を、「フランス語・日本文化・日本語」の順番に置き換えることによっ

て、より日本文化を学びやすい環境にすることができるのです。

日本の47都道府県に、様々な言語で日本文化を教える学校をつくり、様々な言語を話す国から留学生を迎えます。日本に世界の有能な若者が集まり、日本文化を学ぶことによって、真に世界平和へ歩みを進める地球市民を育てていくのです。

そしてその留学生は、言葉は悪いですが、日本の国防の為の人質にもなってくれます。世界の国は、日本を侵略することができません。もし、侵略すると、全ての国を敵に回すことになるからです。

かつてスイスは、第一次世界大戦・第二次世界大戦で、戦場の真っただ中に位置しながら、一切侵略されませんでした。これは多くの国際機関がスイスに本部を置いていたことも、無関係ではないと思います。

日本ファンクラブの創設

後に総理大臣を務められた菅義偉さんが前政権で総務大臣を務められた時、「ふるさと納税」という国民が、自分の気に入った市町村へ納税できる、ちょっと面白い税制を導入されました。国民は、市町村が用意する返礼品を目的に納税をはじめました。返礼品の行き過ぎで、問題になった市町村もありましたが、今もこの税制はすすめられています。

これは、市町村側にとっては、自分たちのファンクラブに入会してもらっているようなものなのです。

しかし、この税制はどこまでも国民が日本の中の市町村に納税するもので、国内の納税総額は同じです。この制度をより発展させ、より経済効果を上げるためには、総額を増やす必要があると思います。

そこで、外国に向かって「日本ファンクラブ」の創設を提案し、呼びかけていくことになれば、外貨の獲得にもつながると考えたのです。

ご承知の通り、世界中の人々は日本や日本文化に関心を寄せています。最近の調査（2022年）では、世界で訪れたい国の1位は日本だったと聞いています。

これからは、外国からの格安の団体旅行を成立させるのが難しくなり、富裕層の個人旅行を中心とした観光来日が主流となっていきます。

日本ファンクラブの入会条件は、「自国で納税をしていること」と「犯罪歴がない」ことです。この2点を証明する、国家が発行した書類を添付して、入会金を添えて日本政府に申し込みます。

ファンクラブ入会の特典として、返礼品が準備されることもありますが、何より、来日時の入国審査にて会員専用窓口があり、パスポートと会員証の提示で審査が完了となります。

入国審査は、来日した人が犯罪者ではないか、お金をもってきているか、を丁寧に審査する為に時間がかかるのです。

ファンクラブの会員は、事前にそのことが審査されており、入国は簡単になるのです。言い換えれば、審査に並んでいる人は、怪しい人が多いのかもしれません。

入会金の利用方法は、日本国に対してのみではありません。

例えばギリシャ人の富裕層の一人がファンクラブに入会したとします。年会費が10万円の時、ファンクラブは、受け取った額の半額、5万円をギリシャ国へキャッシュバックします。このお金は、ギリシャ国の貧困対策に使ってもらうことを条件とします。

このことは、ギリシャ国の貧富の格差の是正に繋がり、日本を訪れることが難しい貧困層の人に対しても、日本ファンクラブが好ましいものとして存在することができると思います。

こうした政策を実践することが世界経済の醍醐味であり、外交にも大きな影響を与えることになります。

ファンクラブの会員は言わば準日本人であり、会員の数が多くなることは、世界への日本の発言力を増していくことに繋がります。

また、会費の半分をそれぞれの国の貧困対策に使っていくことから、富裕層以外の国民からも日本は支持をうける国家として存在することになります。

多くの国の、多くの国民から支持を受けるということは、結果として、日本の国防にも繋がっていくと考えられます。

日本主婦学会

「亭主関白」という言葉を作った人は、人の本質がよく分かっていたのでしょう。男は、どこまでいっても「関白」どまりで、ナンバーワンにはなれないことを表しています。「かかあ天下」という言葉はありますが、「亭主天下」という日本語はありません。関白とは、「関わってものを申す」という意味であり、必ず上にもう一人、天下人がいるということを示しています。

まあ、このようにして日本語を見ていると、ユーモアや、揶揄を入れた言葉で、本質を憶測させるものが結構あるのです。

「男は度胸、女は愛嬌」という言葉も、たぶん男には度胸がなく、愛嬌者が多いのです。女は度胸のある人が多くて、愛嬌があまりない人が多いのでしょう。

「母」という字は、横にすると女性の乳房を表していて、そこから、「乳(父)」が出てくるのは、何とも面白いことです。

いずれにしても、日本語の奥行きは広く、深いのです。

日本の文化は、男と女の役割だけでなく、障がいを持つ人、老人・子どもに至る、すべての人が役割をもち、社会を構成してきました。

例えば、七福神信仰をみても、七福神は皆それぞれに、いろんな障がいをもった神さまのようです。恐らく寿老人は水頭症の神さまであり、弁財天は両性具有の神さまなのでしょう。

一族や地域の人にとって、障がいをもった人が生まれてくることは、福の神が来たという意味で、この子たちを大切に育てることが、みんなの豊かさや幸せにつながることを、日本文化は教えています。

もともと、男性は主に政治を任務とし、女性は経済を取り仕切ってきたようです。

家庭の経済も女性が握っている証拠に、ホテルのレストランで昼食を食べようとすると、そのレストランのほとんどの席に女性が陣取っています。「ランチサービスは安いわね。3500円でこれが食べられるなんて素敵ね」と言いながら、たぶん彼女たちの夫の多くは、５００円玉を一つ貫って、コンビニの弁当を食べているのでしょう。

日本の家庭で主婦として働く内容は、生活（生命活動）そのものであり、掃除・洗濯・食事・子育てに至るまで、全てが高度で専門的なのです。家庭を取り仕切ることは、経済を取り仕切ることと同義であり、専門職としての主婦業と言えるのです。

この主婦業を、個々の家庭でこなしていくだけでなく、社会に大きく貢献できる主婦業とするために、主婦業を専門とする人たち、また、主婦業に興味のある人たちが集まって、「主婦学会」を設立することを提案します。

主婦学会の会員は、もちろん男性も入会できますが、結果として、女性またはお母さんが多く参加することになるでしょう。

学問とは、「問いを学ぶ」ということで、「問い」こそが大切であることを意味しています。

この学会では、会員がそれぞれ毎年「主婦業を通して見る十の質問」を決定し、企業・地域・国家・世界、に問いかけることを主な活動とします。

具体的には、都道府県単位に支部を置き、個人の10の質問は、地域毎の10の質問に集約されます。また、47都道府県から集められた４７０の質問は、日本主婦学会全体としての10の質問に集約され、それぞれの問いの対象に向かって、公式に質問することになります。

例えば、A企業が開発した車に対して電磁波の内容を問うとき、通常「国の基準をクリアしている」という回答になるでしょうが、学術会議では、公開されていないA社がもっているであろう研究機関のデータや、企業の決定内容等の情報公開を求めることになります。

国の安全基準をクリアしているという回答は、言い換えれば、電磁波は出ているということになるからです。

女性の生理用品や、子どもの紙おむつを製造販売しているB社に対して、その安全性を問うことになったときもまた、紙が漂白・柔軟されるであろう薬品の内容と影響を、詳しく科学的に答えて貰うことになります。

日本の若い男性の精子が極端に少ないことや、日本女性の子宮頸がんが多いことと関連があるかどうかを明らかにする上で、この質問もまた重要な役割を果たすことになるでしょう。

食品の問題、環境ホルモンの問題…、主婦業を通して出てくる問いは、多岐に渡ります。企業に対しても、まだまだあるでしょうが、地域や国家、世界に対しての問いもまた、限りなく出てくるのです。

主婦学会は、これらの「問い」において、重要順位・優先順位の高いものを決定し、実行していくことになります。

普通、学術会議は会員の会費で運営されるものですが、日本主婦学会は、企業や地域の寄付金（ドネーション）で運営されることになります。

余分に集まった寄付金は、年内に、会員すべてに等しく配当されます。

また、学術会議の活動の中から、こんな起業をしたいという会員が多数出てきたとき、起業内容をそれぞれ会員に呼びかけ、会員に配当されたお金を、投資できるようにします。

もちろん、個々の会員は配当されたお金を、そのまま自分で使ってもいいのですが、企業に出資することで、成功すれば、出資額を上回る配当を受け取ることになるのです。

これが、日本の女性の社会進出の一つの有り様であり、社会的役割均等の世界を作り上げていくことになります。

ベーシックインカム

自分の為に働く時代は、もう終わりにしましょう。

人として生きるための努力は、日本人は充分にしてきました。

「ベーシックインカム」とは、最低限の所得保障の一種で、政府がすべての国民に対して一定の現金を定期的に支給するという政策のことを言います。

「ベーシックインカム」を採用することで、生活をするための収入は、配当で賄う、新しい時代を築き上げることにするのです。

北欧では、低所得者層に対するベーシックインカムの運用がありますが、ここでいう日本のベーシックインカムは、全ての国民に対して適用されるものでなければ意味がないのです。恐らく、一億人を超える国家でこれを制度として運用できるのは、日本をおいて他にはないでしょう。

日本の国家予算は、一般会計で約１００兆円と特別会計で約２００兆円の、合計約３００兆円で運営しています。

２０２０年5月、今回のコロナウィルス対策の一つとして、国民に一律10万円を支給しました。これで使われた金額は、12兆6千億円でした。

仮に、ベーシックインカムとして、これを毎月支給することになれば、年間約１５０兆円となります。

１か月10万円という金額は、一人で暮らすと、家賃を5万円使った時、残りが5万円となり、少々窮屈です。

パートナーと2人で暮らすことは、20万円の収入で、家賃を5万円とすれば、15万円で食べていくことになります。

単身で生活している男女が多い現状ですが、複数で生活することが、豊かに暮らすことに繋がり、これを選択する人たちが増えてくるでしょう。

パートナーと暮らしたり、結婚を選択する人たちが増え、子どもが授かった時、子どももまた10万円の配当を受けることから、家庭の収入は、一人増すごとに大きなものになります。

結果として少子化対策に繋がり、また、子どもへの配当は、実質、学費の無償化と同義となります。

義務教育で子どもが教育に使うお金は、給食費も含めて、恐らく年間40万円前後と考えられ、家計に約80万円を入れることができるでしょう。

また、現在の医療制度を見た時、医療費の個人負担は、1割負担・2割負担・3割負担と、医療費の軽減を計っているように見えますが、このことによって、安易に医療にかかる人たちが増え、日本は、医療費で倒産する事態に追い込まれています。

医療費の無駄を省くためにも、年間一人１００万円までは全額自己負担とします。国民への医療は、１００万円を超えた時「高額医療制度」を適用することによって保証されるのです。

では、その予算をどうするかという問題がありますが、現在、国家予算の１／３が社会保障費として使われています。ベーシックインカムを採用することで、生活保護費・年金・児童手当等は不要となり、社会保障で使用されていた予算を、ベーシックインカムに振り替える事ができるのです。

年収が数千万円以上の人にとって、ベーシックインカムで配当される１２０万円は、生活を左右する額ではありません。従って、これを受け取らない選択や、これを社会に還元させる為、受け取っても寄付をすることが容易になります。

高額所得者が社会に寄付をし易くすることは、国民全体の所得格差を是正することに繋がるのですが、そもそも、ベーシックインカムを導入することが、大きく所得格差の是正となるのです。

日本人が自分自身の為にのみ、生きるのではなく、自分以外の誰かのために、また、社会の為に、世界の為に、心置きなく生きることができ、活躍できる時代とするのです。

日本人が、人として生きるだけでなく、人間として生きることが、間違いなく、世界の相互理解と人びとの心の平安に繋がっていくのです。

おわりに

帝王学と武士道を通して、日本文化を今、思いつくままに書き綴ってみました。日本文化のほとんどの故郷は、いろんな時代の中国で生まれたものです。どの時代にも、日本との交流があり、伝わってきたものです。

その一つずつの文明や文化を学び、磨き上げて、日本文化として育て上げ、今の日本に生き続けてきたのです。

例を挙げればキリがありませんが、例えば「漢字」、これは、言うまでもなく漢民族が用いた文字で、隆盛期にはモンゴル・朝鮮半島・日本・中国・ベトナムまでの地域で共通して使われてきたものです。

言葉で使われたものではなく、文字表記で使われたことによって、互いの関係において誤解は少なく、深く交流できたのでしょう。

今、中国が「中字」という発音文字にしたことから、「漢字」は文化として日本にしか残っていないのです。

日本の着物についても、故郷は「呉の国」の服であり、今でも扱っている店は「呉服屋」と呼ばれ、百貨店においても「呉服売り場」で売られています。

その呉服は、日本にきて、立体に着るにも拘わらず、折り紙のように平面に畳んで収納するのです。

料理刀のことを、日本では「包丁」と言います。これは、確か中国の春秋戦国時代に「包さん」という名の料理刀の使い手がいて、それは見事に皮一枚を残す捌き方で、このことを「丁切り」と言い、包さんの丁切りに敬意を表して、日本では「包丁」と呼ぶようになったのです。

因みに、中国では、料理刀は「菜刀」と呼んでいるようです。

中国からすべてを受け入れているように見えますが、日本は、人を不具にする制度や政策（宦官・纏足等）は決して受け入れていません。また、麻薬を合法としたことは、一度もないのです。

かつて、日本人は、大陸に住む中国人を「大人（たいじん）」と呼び、自らを「小人（しょうにん）」と言って、敬意をもって過ごしてきました。

今の中国をみて、そう思う日本人は殆どいなくなりました。残念でなりません。

他の国で生まれた文化もまた、中国を経由して日本に届けられたのです。

祇園祭山鉾の「見送り」の中に、今はもう織り方も判らず、したがって織ることも出来ないペルシャ絨毯が残っています。近年それを見たイランの人たちは、「こんな所に残っていたのか」と驚き、大変感動したと聞き及んでいます。

正倉院には、今、戦火に塗れ、無残な状態に陥っているシリアのダマスカスから、千年以上も昔に届いた「切金細工」が保存されています。切金細工が届いていなければ、日本の漆芸における、蒔絵の技術の発展はなかったと思われます。

正倉院には他にも、もう再現することが不可能と思しき世界の工芸や、美術品が出典と共に残されています。

これらは、金銀財宝ではなく、また盗品でもなく、人の技で作られた工芸の数々で、交流の中で日本に届けられた物なのです。

世界に生きる人たちが、誰一人、意図的に殺められることなく、自らの美意識をもって平安に暮らせる時が来ることを祈りながら、筆を置きます。

令和四年 夏

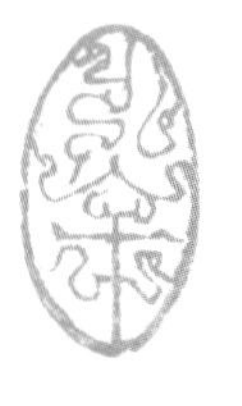

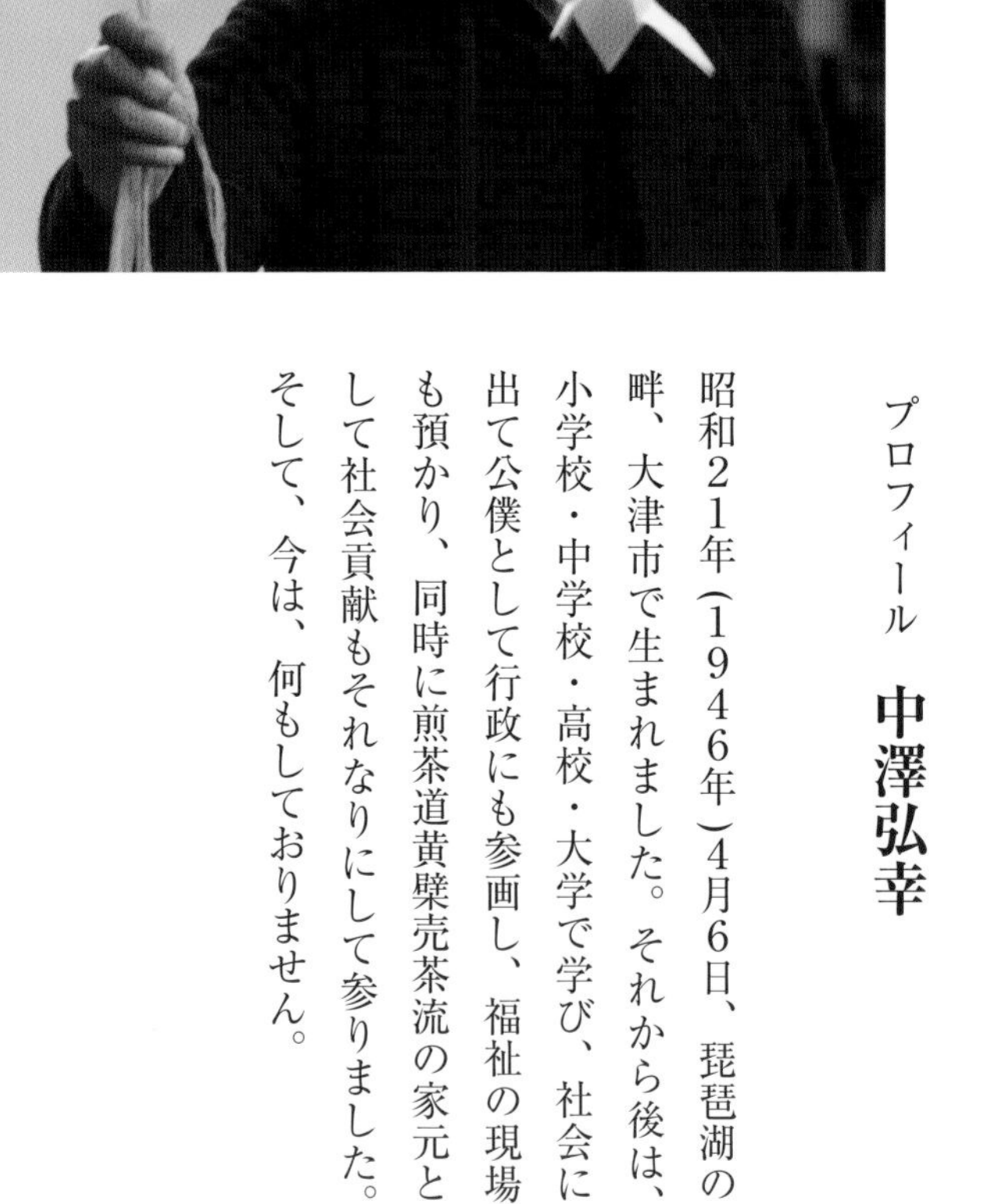

プロフィール　**中澤弘幸**

昭和21年（1946年）4月6日、琵琶湖の畔、大津市で生まれました。それから後は、小学校・中学校・高校・大学で学び、社会に出て公僕として行政にも参画し、福祉の現場も預かり、同時に煎茶道黄檗売茶流の家元として社会貢献もそれなりにして参りました。そして、今は、何もしておりません。

■一般社団法人 黄檗売茶流 ホームページ

■写真家 斎藤文護 オフィシャルページ

挿入している写真は、著者が3年に渡って毎月「設え」として創作したもので、それを斎藤文護氏が独自の感性で撮影したものです。

我思GAON

～民が主なる国の帝王学と武士道～

2022年10月19日　初版第1刷発行
2022年11月12日　　　第2刷発行

著者　中澤弘幸
発行者　津嶋栄
発行　株式会社フローラル出版
〒163-0649 東京都新宿区西新宿1-25-1
新宿センタービル49階 ＋OURS内
TEL：03-4546-1633（代表）
TEL：03-6709-8382（注文窓口）
注文用FAX：03-6709-8873
メールアドレス：order@floralpublish.com
出版プロデュース　株式会社日本経営センター
出版マーケティング　株式会社BRC
印刷・製本　株式会社ティーケー出版印刷

Printed in Japan
ISBN:978-4-910017-26-6